El Joven Moderno y el Sexo

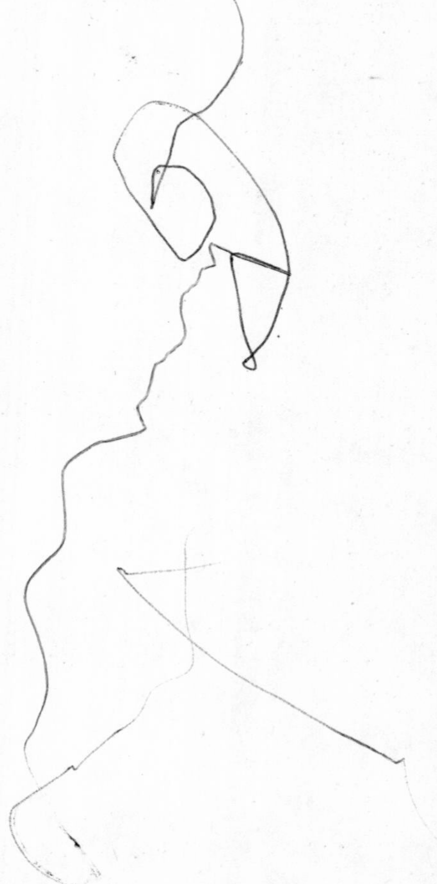

sh—What a Young Man Should Know About Sex

El Joven Moderno y el Sexo

Soluciones a Problemas Personales

Dr. Juan F. Knight

Autor de *La joven moderna y el sexo* y de *La pareja moderna y el sexo*

PUBLICACIONES INTERAMERICANAS

Bogotá — Caracas — Guatemala — Madrid — Managua
México — Panamá — San José, C. R. — San Juan, P. R.
San Salvador — Santo Domingo — Tegucigalpa

NK

Título de este libro en inglés:
What a Young Man Should Know About Sex

Traducción:
Raúl Villanueva

Editado e impreso por
PUBLICACIONES INTERAMERICANAS
División Hispana de la Pacific Press Publishing Association:
- 1350 Villa Street, Mountain View, California 94042, EE. UU. de N. A.
- Apartado 86, Montemorelos, Nuevo León, México

Primera edición: 1.ª reimpresión, 1981
85.000 ejemplares en circulación

Offset in U.S.A.
ISBN 0-8163-9983-2

Indice

1

El sexo, parte de la vida

¡Buenos días, doctor!

¿Cómo está, joven amigo?

He oído que está escribiendo un libro.

Así es.

¿De qué trata?

Va a ser un libro muy importante, porque hablará del desarrollo físico del varón, de su personalidad y de su relación con las muchachas.

¿Quiere decir que se trata de un libro para adolescentes varones?

Ese es el tema general, y contiene información muy importante.

¿Acerca de qué?

El propósito principal es comunicar a los jóvenes algunos asuntos fundamentales sobre la vida.

¡No vaya a decirme que se trata de otro libro por el estilo de "Todo acerca de los pajarillos y las abejas", con los mismos temas de siempre!

No, éste es diferente. Sin embargo, también contiene información importante acerca de la sexualidad que todo adolescente debe conocer. No hay duda de que vamos a tocar en este libro el tema delicado del sexo. Pero déjeme decirle, desde el principio, que estamos tratando de evitar los mismos rodeos con que se ha discutido el tema durante los pasados cincuenta años.

¡Bravo! ¡Magnífica idea!

Estamos viviendo en el último cuarto del siglo XX. Gran parte

S. GIBBS

de los muchachos de hoy verán llegar el año 2000 (si el mundo dura hasta entonces). Muchas cosas que resultaron muy buenas para nuestras madres y abuelas en el pasado, en la actualidad no son tan aceptables para la gente de hoy.

¿Usted se refiere a la idea de presentar los hechos en forma directa y en lenguaje comprensible, de tal manera que los adolescentes los puedan entender?

¡Exactamente! Y por supuesto no vamos a hablar de pajarillos ni de abejas. Y tampoco vamos a usar en el libro esas cándidas ilustraciones que tanto se usaban en los libros antiguos.

¿Algo así como dos pajaritos en un mismo nido, o un par de sapos enamorados?

Veo que me comprende perfectamente. Los adolescentes de hoy quieren hechos reales, que sean claros y concisos.

¿Y eso es lo que ofrecerá el libro?

Sí, exáctamente eso.

¿Y en lenguaje que todo el mundo pueda entender?

¡Por supuesto! Eliminaremos todo lenguaje infantil, pero no es nuestro propósito hacer un texto indescifrable para el cual haría falta un grado universitario a fin de poderlo entender. Sólo se usarán palabras técnicas bien conocidas. Pero aun esto lo reduciremos al mínimo de tal manera que no haga falta un diccionario para comprender el sentido de lo que se dice.

Me alegra saberlo. No me agrada la terminología difícil y complicada.

Nuestros lectores no tendrán ningún poblema para comprender el texto. Habrá ilustraciones para hacer más claros algunos puntos. En una obra de esta naturaleza resulta inevitable usar algunas expresiones técnicas y médicas; cuando se considere necesario se explicará el significado de las mismas.

¿Empezará hablando acerca del sexo?

Exacto. Todo adolescente conoce bastante bien algo sobre el sexo antes de llegar a la edad de la madurez. Sin embargo he encontrado que aun cuando él conozca la anatomía del cuerpo, siempre quedan lagunas en su mente que necesita llenar.

¿Así que su plan es llenarle esas lagunas?

Aun mucho más que eso. Para que puedan comprender todo bien, comenzaremos desde el mismo principio proveyendo información exacta e ilustraciones adecuadas.

El sexo, parte de la vida

Entonces, el tema del sexo va a ser una parte muy importante de ese libro, ¿verdad?

Así es. "Sexo" es una palabra que suena bastante fuerte. Sin embargo, cubriremos una larga lista de otros temas. Prefiero decir que más bien se trata de una introducción a las relaciones entre jóvenes y señoritas. Hablaremos de los asuntos fundamentales de nuestro ser físico y emocional. Pero se irá aún más lejos y se discutirán los aspectos sociales de la relación con uno mismo, así como la relación de unos con otros. Hay una gran cantidad de cosas que nunca nos ocurren cuando somos jóvenes pero que se convierten en verdaderos problemas cuando pasan los años y nos desarrollamos y ocupamos nuestro lugar en la sociedad.

Volviendo al tema del "sexo", es evidente que la palabra en sí tiene diferente significado para las distintas personas.

Por supuesto. Básicamente la vida consta de dos sexos, el masculino y el femenino. Esta es una definición de términos. Pero extendiendo algo más el sentido, podemos usarla para definir también la relación entre el hombre y la mujer en un nivel sencillo y sin complicaciones.

¿O se podría llevar un poco más lejos?

Sí. Las relaciones casuales tarde o temprano conducen a una relación más íntima, hasta que en el matrimonio se llega a la más completa relación representada por la unión sexual. Y es ahí donde la relación sexual alcanza su mayor significado. Se logra la gran consumación. El progreso gradual de lo simple a lo complejo es una de las grandes maravillas de la vida.

Por supuesto, en la opinión popular el "sexo" denota mayormente las relaciones íntimas.

No hay la menor duda sobre esto. Y en las mentes de la mayoría de nuestros jóvenes lectores posiblemente exista la misma interpretación. Y no se les puede criticar por esto. Con las fuertes influencias que sus mentes en formación reciben del mundo en que viven, no es extraño que la mayoría de ellos piensen de esa manera y tengan tal concepto. Uno de los propósitos de este libro es presentar el sexo en su correcta perspectiva.

¿Quiere usted decir que cuando se leen las revistas y los periódicos se recibe una impresión distorsionada sobre este asunto?

Así es. El sexo es tan sólo uno de los aspectos de la vida, y si podemos enfocarlo de una manera razonable, entonces estaremos progresando. Los adolescentes tienen numerosos problemas de carácter general y otros relacionados con el sexo.

Muchos todavía asisten a la escuela, al colegio o a la universidad. Constantemente se tienen que enfrentar con situaciones muy difíciles. Por eso nuestro propósito es tomar algunos de estos problemas y tratar de conseguir para ellos soluciones razonables.

¿Entonces usted no va a ser muy teórico?

Yo creo que las soluciones prácticas son indispensables. Existe una respuesta para cada problema. Posiblemente no siempre esa respuesta sea ciento por ciento efectiva; pero por lo menos una respuesta razonable a un problema es mucho mejor que quedar en la confusión, sin ninguna orientación que seguir. Por otra parte hay que entender que muchos problemas sí tienen solución efectiva.

Yo mismo tengo cuatro adolescentes en mi casa. En mi propio hogar he sido bombardeado por tantas preguntas durante los últimos años que creo haber tenido información de primera mano en cuanto a todo lo que dice el libro.

Además, estoy muy relacionado con la prensa popular. De hecho, escribo regularmente algunas columnas que parece que son leídas por muchas personas que están en la edad de la cual precisamente estamos hablando. En la gran cantidad de correspondencia que recibo aparece toda clase de situaciones relacionadas con los adolescentes.

¿Y de qué tratan esas cartas?

Hablan de una diversidad de temas que interesan a la gente joven. Todas las cartas vienen con el nombre y la dirección correctos del remitente, y la mayoría de ellas vienen firmadas personalmente. Esta es una gran evidencia de buena fe (según ellos mismos dicen). Cada una trata de un problema personal del que la escribe.

¿Ha encontrado usted que se repiten mucho las preguntas?

Así es. Una gran cantidad de las preguntas se repiten vez tras vez. Algunas hasta están redactadas en la misma forma. Algo muy común en la vida es lo siguiente: la juventud que va creciendo (y por supuesto la gente en todas partes) va encontrando los mismos problemas a medida que avanza en la vida.

¿Así que los problemas y situaciones planteados en las cartas que usted recibe respaldan los conceptos que nos va a exponer?

Exactamente. Aquéllos nos ayudan a saber qué es lo que la gente está deseando saber en la actualidad. Muchos de los incidentes e inquietudes planteados aparecerán reflejados en este libro.

¿Existe otra manera de analizar estos problemas comunes?

Todos los días recibo un gran número de personas en mi consultorio. Este es algo así como un eslabón directo con las personas que enfrentan problemas. Si no tuvieran dificultades no vendrían a verme. Por muchos años ha sido mi costumbre tomar nota de los problemas que me traen los pacientes.

¿Así que esto también va a formar parte del libro?

En un sentido, sí. Esto nos habrá de ilustrar en cuanto a los problemas más comunes del diario vivir, en especial los relacionados con la juventud. No tendría ningún valor presentar a la gente problemas que realmente no existen. Eso sería insensato y sin importancia de ninguna clase. Mejor es que presentemos las inquietudes que la gente tiene en la actualidad.

USA
7
5
10

2

Hechos curiosos acerca de los muchachos

Lo que ocurre en la pubertad

Consideremos ahora algunos asuntos fundamentales.

Sin duda muchos de los lectores varones, no importa la edad que tengan, tienen una idea bastante acertada sobre sus características anatómicas.

Pero evidentemente hay algo más por conocer que lo que observamos externamente. Creo que valdría la pena dedicar un poco de espacio en estas primeras páginas a presentar algunos detalles del funcionamiento interior del aparato sexual masculino.

Como nuestro libro está orientado mayormente hacia los varones, vamos a empezar con ellos. Hablaremos más tarde sobre las niñas.

¿Comenzamos con los órganos exteriores?

Muy bien. A éstos se los conoce generalmente como el *pene* y los testículos o *escroto*. El pene y la bolsa testicular se encuentran en el ángulo formado por la unión de las piernas con el abdomen. Como muchos recordarán, durante la niñez son de tamaño bastante reducido. Pero según van avanzando los años de la adolescencia, tanto el pene como los testículos aumentan de tamaño por influencia de ciertas sustancias químicas denominadas *hormonas*. No existe una medida fija en cuanto a lo que debe ser el tamaño del pene del adulto. Basta que pueda realizar satisfactoriamente su función específica.

A los pacientes que tienen alguna preocupación en cuanto al tamaño y la forma de su pene, generalmente les digo que realmente eso no tiene mucha importancia. ''Es la función que realice lo que cuenta'', les explico. Si usted es anatómicamente normal, eso es lo más importante.

¿No cree usted que hay hombres que relacionan el tamaño del pene con la masculinidad?

No hay la menor duda en cuanto a eso. Es muy probable que el impulso sexual masculino sea responsable de que se le preste tanta atención a ese segmento de la anatomía. Pero debo admitir que hay muchos hombres a quienes preocupa el tamaño de este órgano.

El impulso sexual

¿No cree usted que el impulso sexual es demasiado vigoroso?

Lo es y se lo compara al impulso que desplegamos por sobrevivir, por satisfacer el hambre, y por aplacar la sed. Esta es otra razón por la cual se le da tanta importancia a este órgano de la procreación.

¿No es verdad que hay personas cuyo pene es anormalmente pequeño?

Cierto, pero éstos son la minoría. Existe una condición que se llama "microfalo" o "micropenis" (que rara vez encuentran los médicos), en donde se observa un subdesarrollo de este órgano.

¿Se ha encontrado usted alguna vez con alguno de estos casos raros? Recuerdo vagamente que usted me habló alguna vez acerca de esto.

Sí. Y todavía recibo consultas sobre el asunto. En una de mis columnas publicadas en un periódico hice una breve mención de una carta que recibí de un padre que estaba muy preocupado por su hijo, del cual pensaba que tenía "un pene no desarrollado".

En mi respuesta le indicaba que había ciertos tratamientos apropiados para estos casos y que sin duda también se podría hacer mucho por su hijo. Lo que yo pensaba, por supuesto, era que posiblemente el joven tenía un caso de falta congénita de hormonas, lo que era muy fácil de curar para que el joven llegara a ser un adulto normal.

¿Y qué pasó?

Lo que pasó fue que empecé a recibir un diluvio de cartas. Llegaban las cartas por centenares y esto me mantuvo ocupado durante semanas y meses. De hecho, un año después todavía estaba recibiendo cartas. Parecía que lo que yo dije, cada lector lo había aplicado a sí mismo, o a un amigo, o a un pariente.

¿Qué contestó usted a todas estas personas tan esperanzadas?

Hice una carta impresa. En ella presentaba la verdad del

asunto. Establecí claramente que no había un "elixir" para aumentar el tamaño de un pene normal. Expliqué que había cierta terapia especializada para individuos que anatómica o fisiológicamente no tuvieran un desarrollo completo, pero que no era para varones normales, probablemente bien dotados, por no encontrar un término mejor.

Higiene masculina

Normalmente el pene cuelga sobre el escroto ¿no es cierto?

Sí. Generalmente se mantiene fláccido. Este órgano termina en forma cónica, con una cabeza que se conoce con el nombre de *glande*. El tronco está adherido a la parte baja de la pelvis. En muchos el glande está recubierto por el prepucio, aunque en otros éste ha sido eliminado.

¿No es verdad que existe desacuerdo actualmente en cuanto al proceso de la circuncisión?

Parece que sí. Hasta hace poco tiempo era un procedimiento normal "circuncidar" a los niños varones unos días después de nacer. De hecho, en algunos países era casi una rutina, aunque por supuesto había que tener antes el consentimiento de los padres.

Se han presentado a través de los años muchos argumentos a favor de este procedimiento. Se ha dicho, entre otras cosas, que la circuncisión permite mantener limpio el glande.

¿No se acumulan allí fácilmente sustancias indeseables?

Por cierto que sí. Una sustancia cremosa que se llama *esmegma* muy a menudo se concentra entre el glande y el prepucio. Y si esa parte no se lava a menudo, particularmente durante el tiempo de calor, producirá un olor desagradable. También puede producir cierto grado de irritación. Esto puede causar enrojecimiento y muchas veces dolor en toda la región.

¿No cree usted que esta región debiera lavarse cuidadosamente todos los días?

Por supuesto. Generalmente lavamos el resto del cuerpo todos los días (por ejemplo, limpiamos nuestros dientes dos o tres veces al día), y realizamos otras cuantas operaciones de aseo como una rutina. Pero muchos jóvenes (y algunos mayores también) que no han sido circuncidados, parece que olvidan a veces esta importante parte de su organismo. Es fácil deslizar hacia atrás la piel que cubre el glande y lavar esa parte cuidadosamente.

Cualesquiera secreciones que haya allí se pueden eliminar con bastante efectividad y de una manera muy sencilla. De hecho este pequeño problema ocurre en las personas que no están circuncidadas. En varones que han sido circuncidados no existe ningún lugar donde se puedan acumular estas sustancias.

Si estas sustancias acumuladas no se retiran del glande ¿podría eso producir infección, dolor y otras incomodidades?

Precisamente. Los gérmenes se multiplicarían en esas secreciones y entonces se podría producir una incómoda condición llamada *balanitis,* o inflamación del glande asociada con la del prepucio.

He oído que el cáncer del pene no es tan común en los varones circuncidados.

De acuerdo con los fieles defensores de la circuncisión, "el cáncer del pene nunca ocurriría en un hombre que se circuncide en su infancia".[1]

Pero otros afirman que el cáncer del pene es raro en cualquier caso. Puede ser que sea así.

¿Es ésta la única clase de cáncer que se podría producir?

Se cree que el cáncer de la próstata (que es parte del sistema urogenital del varón), es también menos común en las personas circuncidadas. Un estudio comparativo que se ha hecho de las muertes producidas por cáncer de la próstata entre suecos y judíos circuncidados (quienes rutinariamente se circuncidan) parece indicar que el cáncer es menos probable entre las personas circuncidadas.[2]

¿Afecta la circuncisión o la incircuncisión de alguna manera a las esposas?

Parece que el cáncer cervical (o "cuello" de la matriz de la mujer) es causa muy común de muerte, y sin embargo, es menos común en las mujeres judías. Esto es, en aquellas cuyos esposos han sido circuncidados.

Además, un desorden vaginal (en el tramo genital de la mujer) llamado *moniliasis* es más común cuando los esposos no están circuncidados.

Algunos problemas médicos

¿Hay casos en que la abertura prepucial es muy pequeña?

Sí. Se conoce con el nombre de "fimosis". Según pasa el

tiempo, cierto número de varones no circuncidados desarrollan una condición en que la abertura que está al final del prepucio es muy pequeña para permitir el deslizamiento de la piel a fin de dejar descubierto el glande. Se cree que aproximadamente uno de cada diez, entre los varones no circuncidados, puede desarrollar fimosis. Si esto ocurre, la infección puede comenzar en la parte inferior del glande. Se produce dolor, distensión y secreción, y puede haber dificultad y dolor al orinar.

Las operaciones que se hacen para resolver esta situación (cuando ya se es adulto) pueden ser extremadamente dolorosas. Pero según las personas que lo han experimentado, la circuncisión, cuando se hace en la infancia casi no produce dolor alguno, es algo que resulta muy conveniente ya que protege a la persona de muchas enfermedades en los años futuros.

De seguro que habrá igualmente muy buenas razones para no circuncidarse.

Hay respuestas encontradas al respecto. Se dice que el varón que no se circuncida goza más de la vida sexual cuando es adulto. Debidamente protegido de cualquier daño exterior, el glande es más sensitivo y reacciona mejor a la estimulación sexual en el acto del coito. Por otra parte, hay quienes firmemente niegan esto. Los doctores Masters y Johnson, que hicieron una larga serie de estudios de sexología en los Estados Unidos, dicen que a la verdad no hay ninguna diferencia en este sentido, entre estos dos grupos.[3]

Por último, algunos médicos afirman que si nacemos con un prepucio es porque esa parte de nuestra anatomía cumple algún propósito útil, aun cuando no sepamos cuál es. Consideran la circuncisión casi como un acto de barbarie que se realiza, más bien siguiendo antiguas tradiciones que por tener un significado verdaderamente científico o alguna utilidad.

¿Hay una posición oficial?

Recientemente la Sociedad Pediátrica Australiana, una importante organización científica destinada a velar por los niños, hizo una declaración oficial. Aseveró que en su opinión la circuncisión no debiera realizarse como una práctica regular.

¿Y todos han aceptado esa decisión?

No todos. Muchas madres todavía desean que sus niños sean circuncidados. Piensan que si los padres lo hicieron, los hijos deben hacerlo también. Otros prefieren analizar los factores favorables y desfavorables. Los médicos igualmente están divididos en este asunto. Tal vez estas posiciones cambien con el transcurso del tiempo. En muchos países europeos, a muy pocos bebés se les hace esta operación.

Pienso que todavía no hemos descrito debidamente los órganos sexuales masculinos, ¿no le parece?

Es verdad. Pero a mi vez creo que valdría la pena ir discutiendo algunos puntos según nos vamos refiriendo a cada órgano. Después de todo, puede ser que los lectores hayan escuchado muchas teorías erróneas acerca de estos órganos, por lo que se preguntarán qué cosa es lo correcto. Así que hay ventaja en ir revelando estos hechos desde el principio.

¿Qué les aconseja usted personalmente a sus pacientes acerca de la circuncisión?

Yo ciertamente no tengo hachas que amolar en relación con ninguno de los dos aspectos de este asunto. Sencillamente me limito a ofrecer los puntos a favor de la circuncisión y también los puntos en contra, y después, que la gente derive sus propias conclusiones.

¿Trata usted de imponer algunas opiniones?

No. No valdría la pena.

Sin embargo, hay un aspecto que a mí siempre me gusta realzar: pienso que, si hay más de un hijo varón en la casa, debe haber uniformidad.

No hay nada peor para los hijos de un mismo sexo que ser "diferentes". Eso puede causar trastornos emocionales.

Creo que lo dicho es suficiente para este capítulo. En el próximo vamos a continuar hablando sobre la estructura de los órganos masculinos.

---

1. Dr. Marvin S. Elger, art. "The Case for Circumcision" (Argumento en favor de la circuncisión), *Today's Health,* t. 50, N.º 4, abril de 1972.
2. *Ibíd.*
3. *Ibíd.*

3

Un proceso de producción ininterrumpido

En el capítulo anterior comenzamos a efectuar una descripción de los órganos de reproducción masculinos externos.

Este es un término que suena bien. Suena agradable y eufónico.

No queremos ofender a nadie. Recuerde que, a pesar de que este libro ha sido preparado en primer lugar para Guillermo, Jaime y Enrique y sus amigos jóvenes como ellos, no obstante, el tío José, el papá y el abuelo Tomás, sin duda también van a hojearlo un poco.

Eso es correcto. Así que debemos usar un lenguaje adecuado para todo el mundo.

Por supuesto que es muy probable que tengamos algunas lectoras también.

En el último capítulo hablamos brevemente del pene. Se describieron sus "detalles morfológicos", en otras palabras, como lo ve el observador casual en momentos de inactividad. Hablemos ahora de cómo es el interior de este órgano.

Este es un órgano extremadamente complicado. El interior está compuesto de un material esponjoso y muy poco compacto. Se extiende desde el glande (la cabeza), a lo largo de todo el órgano.

¿Cuál es el significado de esta materia esponjosa?

Voy a explicarlo. En circunstancias normales sólo una pequeña cantidad de sangre circula en el pene. Pero en otras ocasiones, especialmente bajo el efecto del placer de la estimulación sexual (ya sea física o mental), una gran cantidad de sangre afluye hacia esta sustancia esponjosa.

Cuando esto ocurre, el órgano masculino que por lo general se encuentra fláccido, aumenta de tamaño repentinamente, y en vez de colgar fláccidamente entra en estado de erección. Mientras más sangre afluya hacia esta masa esponjosa, más firme y erecto se pone el pene.

Es bastante interesante notar aquí que la dirección a la cual automáticamente apunta, es muy parecida a la dirección normal del conducto de la vagina de la mujer.

Y diseñado en esta forma por la naturaleza, por supuesto.

Naturalmente. Aparte de eliminar los desechos del cuerpo en la orina, el pene es también el órgano de la reproducción.

Pero antes de poder funcionar como tal, es necesario que entre en el conducto del órgano genital femenino, la vagina.

En su estado fláccido, esto resultaría mecánicamente imposible. Pero cuando aumenta su tamaño y se pone erecto, queda en condición de realizar el acto. Así que este sistema de erección también ha sido diseñado para facilitar esta importante función del organismo masculino.

Glándulas y conductos

¿Qué hay en cuanto al canal que corre a lo largo el pene?

Se llama uretra. Sale a la superficie en el extremo del glande. Desde este punto, se extiende a lo largo del pene y finalmente llega hasta la vejiga.

La vejiga es un depósito donde se acumula la orina (que contiene fluidos innecesarios y desechos del cuerpo). La sangre se está filtrando constantemente en los dos riñones (uno a cada lado), y la materia que el organismo no necesita, se va depositando en la vejiga, transportada por los uréteres. Allí permanece almacenada hasta que puede ser convenientemente eliminada. Por lo tanto, en este contexto, la uretra es sencillamente un conducto que es parte del sistema urinario.

¿Qué parte desempeña en la función reproductora?

Justamente debajo de la vejiga, la uretra se une a otro conducto que viene de un depósito llamado *vesícula seminal.*

En la vesícula seminal están depositadas cantidades de células masculinas llamadas *espermatozoides*. Estas son las células masculinas de reproducción. El fluido seminal espera pacientemente en el depósito hasta que llega el momento necesario. Este momento generalmente llega durante el coito. Hablaremos más sobre esto en próximos capítulos.

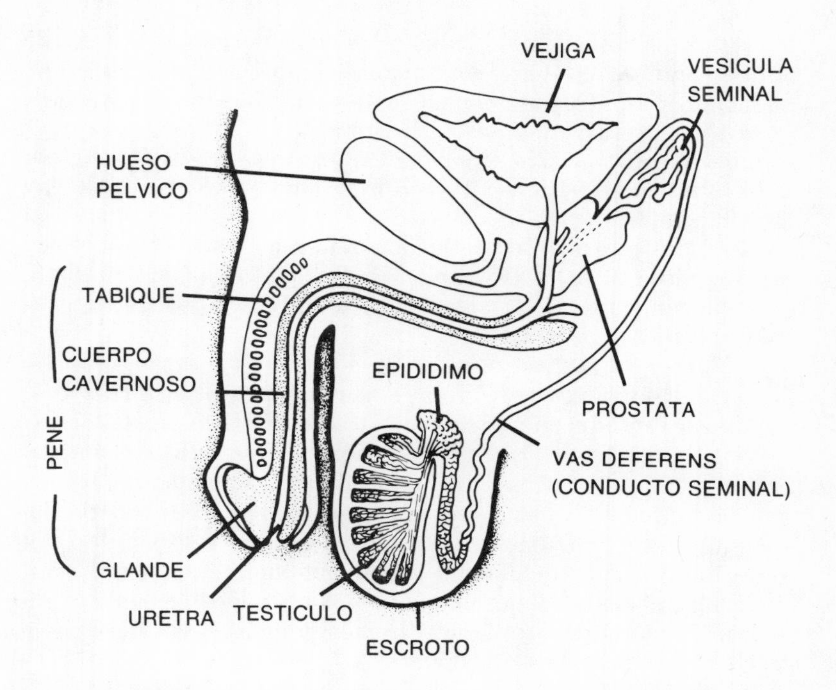

Fig. 1. ORGANOS MASCULINOS DE LA REPRODUCCION

Dibujo que muestra los órganos reproductivos masculinos internos y externos.

El pene cuelga en forma normal. Dentro y a lo largo del mismo está la uretra, canal estrecho por el cual sale la orina desde la vejiga, pero que también sirve para transportar células masculinas (espermatozoides) durante el coito.

Debajo, y en la parte posterior del pene, cuelga un saco pequeño, el escroto. Aquí se encuentran los testículos en los cuales se forman los espermatozoides. Estas células masculinas son transportadas por el epidídimo y los vasos deferentes hasta las vesículas seminales, en donde permanecen hasta el momento de la eyaculación.

Su descarga se produce a través de la uretra.

El punto interesante que hay que destacar es que la uretra en realidad desempeña dos funciones. Transporta la orina de la vejiga al exterior. Pero en otras ocasiones transporta los espermatozoides hacia el exterior desde las vesículas seminales.

¿No ocurre de vez en cuando que estas dos funciones se producen al mismo tiempo?

Afortunadamente no. Mediante un bien coordinado sistema de un conjunto de válvulas, sólo una función ocurre a la vez en un momento dado. Cuando el canal está siendo usado por los espermatozoides se cierra el paso a la orina. Y *viceversa*.

Ahora volvamos a la otra parte externa del aparato masculino. Hemos hablado del pene. El escroto es en verdad otra parte muy importante.

El escroto es algo semejante a una fláccida bolsa que contiene dos órganos que se llaman *testículos*. Hay un testículo a cada lado, y se pueden palpar fácilmente. Son órganos extremadamente delicados y muy importantes.

¿Cuál es su función principal?

Tienen dos funciones. Primero, son la factoría de células masculinas de reproducción. Estas células se llaman espermatozoides.

Los testículos incluyen numerosos tubos microscópicos que están muy entrelazados. De noche y de día, mediante un proceso ininterrumpido que se llama espermatogénesis, se van produciendo los espermatozoides. Al mismo tiempo van pasando por unos tubos que gradualmente van aumentando en tamaño.

La parte del tubo más cercana a los testículos se llama epidídimo. De allí corre otro conducto más grande, el vas deferens o conducto excretorio del testículo.

¿Es éste el conducto que finalmente va hasta el mismo cuerpo?

Sí, el *vas* (como comúnmente se lo llama) va desde el escroto hasta la pelvis donde desemboca en el pequeño depósito del cual hablamos antes, la vesícula seminal.

Así que los espermatozoides se forman en los testículos. De allí pasan al epidídimo y luego al conducto seminal y luego al cuerpo, donde finalmente son almacenados en las vesículas seminales.

Correcto.

¿Qué es lo que realizan los espermatozoides?

¿A qué se parece el espermatozoide? ¿Puede moverse por su

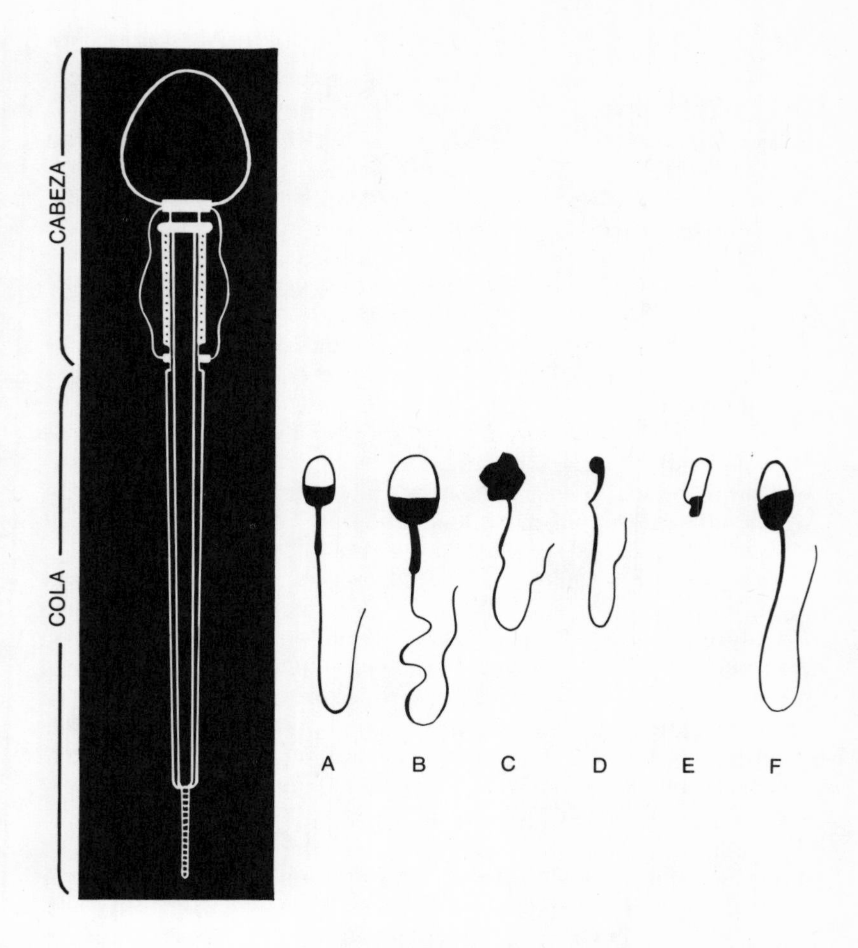

Fig. 2. LA CELULA MASCULINA DE LA FECUNDACION

Este es un espermatozoide o célula masculina de la fecundación.

Los espermatozoides son producidos en forma constante y abundantísima por los testículos; en una sola eyaculación se pueden depositar hasta 700 millones de ellos. ¡Pero basta uno solo para producir un embarazo!

A. Forma normal de un espermatozoide. Tiene cabeza y cola perfectas. Es esencial que la cola se mueva libremente para poder impulsarse.

B a F. Espermatozoides anormales, no aptos para la reproducción. Si en el fluido seminal hay un número grande de ellos, puede haber problemas y dificultades para que se produzca la fecundación del óvulo femenino y haya embarazo.

propia cuenta? Me pregunto cómo es que puede ascender cuesta arriba, por así decirlo, que es el tramo que tiene que recorrer desde el lugar donde se lo fabrica hasta el punto donde se lo almacena.

Ante todo, el espermatozoide es una célula microscópica. Se puede ver a través del microscopio, pero sólo con un aumento considerable.

Fundamentalmente consiste en una cabeza, una parte central y una cola.

La cabeza contiene la parte que produce la vida, o sea el *núcleo*. Esta parte contiene también los cromosomas y los genes que son los que transmiten las características hereditarias.

¿Cuál es la función de la cola?

En el espermatozoide, la acción de la cola produce un movimiento ondulante que se propaga de adelante hacia atrás. De esta forma se puede impulsar fácilmente.

Algo así como un renacuajo, ¿no?

Más o menos. Aunque el parecido está únicamente en la forma de impulsarse.

¿Producen los testículos muchos espermatozoides?

El promedio de producción es algo extraordinario. En una sola emisión (por ejemplo, al final del acto sexual cuando se produce la "eyaculación"), se expulsan de 2 a 4 mililitros de fluido seminal. Esto es aproximadamente media cucharadita. ¡Esta pequeña cantidad contiene la astronómica suma de 700 millones de espermatozoides! ¿Puede usted imaginar tal cosa?

Pues estamos hablando en lenguaje millonario.

Ciertamente. La cantidad de células varía grandemente y está afectada por diferentes factores. Sin embargo, el promedio es de cerca de 200 millones, según afirman los expertos. Y asómbrese al leer lo siguiente: basta *un solo* espermatozoide para producir el embarazo.

¿Cuán velozmente se puede desplazar un espermatozoide?

En circunstancias normales se desplaza a un promedio de 1 a 10 centímetros por minuto. Y hay que pensar que para un objeto tan pequeño eso es realmente un récord de velocidad.

Ahora, ¿qué ocurre cuando los espermatozoides llegan a la vesícula seminal?

Pues allí se quedan depositados hasta que se los necesite. Pero a medida que las células masculinas se van desplazando hacia la vesícula se les va añadiendo cierto fluido a fin de facilitar su tránsito. Hay muchas glándulas en el interior de los conductos transitados por los espermatozoides. Producen líquido que también se almacena en las vesículas. A ese líquido se lo conoce con el nombre de *fluido seminal.* De hecho, los espermatozoides se alimentan de unos nutrientes especiales que hay en ese líquido.

¿Hay algún conducto que va de las vesículas al exterior?

Sí. Como habíamos dicho antes, hay un conducto que sale de las vesículas, atraviesa la próstata (que está ubicada debajo de la vejiga), y entra en el canal que se llama uretra. Este canal es el conducto que transporta hacia el exterior tanto la orina (desde la vejiga) como los espermatozoides (desde las vesículas).

Mediante un sistema de válvulas, sencillo pero muy eficiente, se impide la entrada, fuera de tiempo, a esos canales, tanto de la orina como de los espermatozoides. Cuando la orina fluye, el canal que conduce a las vesículas se cierra, y viceversa. Todo es muy mecánico, muy eficiente y muy bien diseñado. Como regla general nunca ocurren accidentes.

Problemas con los espermatozoides

¿Qué ocurriría si mermara la producción de espermatozoides?

Yo creo que esto podría ocurrir alguna vez. Generalmente la producción de espermatozoides continúa inalterable desde los días de la pubertad (aunque varía mientras el joven está desarrollándose), hasta muy cerca del final de la vida. Son increíbles los casos que se han informado de hombres de avanzada edad que todavía tienen capacidad de reproducción.

Sin embargo, algunos varones, por razones que no se comprenden todavía claramente, tienen una baja producción de espermatozoides. Esto se ha podido comprobar mediante recuentos de espermatozoides. A veces algunos médicos piden a un laboratorio que haga un recuento de espermatozoides de pacientes que presentan dificultades en la reproducción.

Es bien sabido que si el recuento baja de 200 millones a menos de 60 millones, es posible que haya dificultades con la espermatogénesis, o proceso productor de espermatozoides.

Además, si la "movilidad" de los espermatozoides está afectada, también se pueden producir problemas. Esto significa que los espermatozoides han perdido su capacidad de movimiento y traslación; en otras palabras, no pueden "navegar" hacia su objetivo.

Finalmente algunos hombres producen espermatozoides de formas muy raras, a las que podríamos llamar "deformes". Si veinte por ciento o más de estos espermatozoides son deformes, entonces disminuyen las probabilidades de fecundación.

Esto pareciera increíble cuando uno piensa que un solo espermatozoide es todo lo que se necesita para producir una nueva vida.

Puede que así sea, pero estos son los hechos.

He oído decir que algunas enfermedades, como las paperas, pueden afectar el proceso de la producción de espermatozoides. ¿Cuánto hay de verdad en esto?

Mucho. Las paperas son producidas por un virus. Generalmente estos virus están concentrados en las glándulas salivares. Pero algunas veces, por razones aún no comprendidas, pueden afectar los testículos. Entonces se presenta una complicación muy dolorosa conocida con el nombre de orquitis.

¿Qué ocurre entonces?

Pues que los testículos se hinchan. Llegan a tener un tamaño enorme. Los he visto hincharse del tamaño de una naranja grande o aun de una toronja. El órgano se torna extremadamente sensible. Y esta condición puede persistir por muchos días y aun por semanas.

Lamentablemente no existe ninguna terapia verdaderamente eficaz para este mal. No hay antibiótico ni droga que puedan matar los virus de las paperas. Tal vez tengamos la solución algún día pero actualmente no la hay.

Afortunadamente se trata de una situación que el mismo cuerpo soluciona con su mecanismo de defensa, mediante el cual hace frente a los gérmenes invasores y los destruye.

¿Puede afectar esto adversamente la producción de espermatozoides?

Lamentablemente, sí. En algunos casos hasta puede destruir por completo la capacidad de los testículos para producir espermatozoides.

A veces ocurre así, y en otras circunstancias da por resultado que se impide la circulación de espermatozoides desde el lugar donde se producen. De todas maneras llega el momento en que no se encuentran espermatozoides de ninguna clase en el semen del individuo.

Entonces, esto es algo definitivo.

Así es. Si no hay espermatozoides no existe probabilidad alguna de embarazo.

Esto, por supuesto, plantea situaciones muy lamentables. Generalmente esta situación no se descubre hasta que una pareja se casa y luego notan que no pueden procrear. Luego, después de hacer algunos exámenes médicos, se descubre la triste verdad.

¿Puede haber otras razones que determinen la merma en la producción de espermatozoides?

Parece haber otras razones que podrían explicar la disminución del número de espermatozoides en el líquido seminal. Cuando esto ocurre, los médicos llaman azoospermia a esa condición. Las causas no son bien conocidas aún. Pero una cosa sí es bastante segura: No se prevé en el futuro cercano una verdadera cura para esta situación.

Como cuestión de interés, ¿qué pueden hacer estas parejas que no tienen niños y que desean tener hijos? Después de todo, éste es uno de los principales propósitos de la vida matrimonial.

El problema generalmente se torna muy agudo. Lo que muchos hacen es sencillamente adoptar un hijo. Por otra parte, otros recurren al método relativamente nuevo de la inseminación artificial. Pero para consentir en el uso de este recurso hay que tener una personalidad especial. Algunos varones (muy orgullosos y dueños de sí mismos) ni siquiera considerarían esa idea, pues piensan que eso es empañar su masculinidad. Personalmente, yo no creo así, pero es muy difícil cambiar la personalidad de los demás.

Otros sencillamente aceptan la realidad y se adaptan a vivir una vida sin hijos. Lamentablemente, muchas parejas que enfrentan esta situación se separan y cada cual sigue su camino.

Usted dijo antes, que los testículos tienen dos funciones principales. La primera es producir la célula masculina, o sea el espermatozoide. ¿Cuál es la segunda función? Me parece que sería conveniente hablar sobre esto también.

Yo creo que vale la pena. Realmente, esta otra función juega un papel muy importante en la vida del varón. De hecho, desde el momento en que nace el varón hasta que finalmente muere y aun en la edad avanzada, se sienten sus efectos. Es algo de una importancia muy esencial y de consecuencias muy grandes.

¿De qué se trata?

Todo se basa en la producción de cierta sustancia química de importancia fundamental. Se la conoce con el nombre de hormona masculina o testosterona.

Lo queramos o no, poco a poco vamos encontrando algunas palabras nuevas. Siempre es bueno tener un vocabulario amplio. Cuando se habla de asuntos anatómicos y químicos, eso es necesario.

¿Entonces en el siguiente capítulo se hablará detalladamente de la hormona masculina?

Exacto.

4

Cuando se activan las hormonas

Comenzando cerca de la edad de la pubertad, de los 12 a los 14 años, con ligeras variaciones, las células intersticiales inician la producción de testosterona.

A diferencia de los espermatozoides, los cuales circulan a través de un pasadizo tubular, la testosterona fluye directamente por la corriente sanguínea. (Por esta razón, a los testículos se los llama frecuentemente glándulas endocrinas, o glándulas de secreción interna. Esto quiere decir que bombean su producto directamente a la sangre y no dependen de conductos para su transportación, como ocurre, con otras glándulas.)

La testosterona es una hormona exclusivamente masculina, pero aunque parezca extraño, los testículos también producen pequeñas cantidades de hormonas femeninas (hasta los hombres más varoniles tienen un poquito de esta hormona en su organismo). Esta se llama estrógeno. Por supuesto, en las mujeres, la hormona principal es el estrógeno, pero las mujeres producen también una pequeña cantidad de hormona masculina. Esto suena como algo anormal, ¿no es cierto?; pero no lo es.

¿Es constante la producción de testosterona?

No exactamente. Comienza siempre en la pubertad y después se mantiene una producción elevada durante muchos años. En los hombres que van envejeciendo se reduce poco a poco. Sin embargo, el momento de una marcada disminución varía de una persona a otra.

¿Hay algo que pueda afectar la producción hormonal?

Se piensa que la mala nutrición pudiera afectarla. Además, una deficiencia del valioso complejo de vitamina B en el régimen de alimentación puede tener un efecto perjudicial. No obstante, con el régimen bastante normal que casi todos llevan, estas deficiencias no ocurren frecuentemente.

El papel de las hormonas

¿Qué ocurre cuando empieza la producción de hormonas?

Es aquí cuando ocurren los cambios más notables en el varón que va desarrollándose. Durante esta etapa el joven se convierte en hombre. Esta transformación se realiza en un período de tiempo relativamente corto. Por ella un joven en formación y todavía inseguro, se transforma rápidamente en un hombre hecho y derecho.

Según la testosterona va funcionando en el organismo, el desarrollo de la persona se va haciendo cada vez más efectivo.

¿Por ejemplo en qué aspectos?

Primero, los órganos de la reproducción empiezan a desarrollarse. El pene se alarga y crece en tamaño. Y esto se hace muy notable. También se desarrollan los órganos internos de la reproducción. (El epidídimo, las vesículas seminales y la próstata, todos crecen.) Luego aparecen las llamadas características sexuales secundarias.

Y esto ¿qué incluye?

La piel que recubre el escroto se va haciendo más gruesa, luego empieza como a corrugarse, y todo el órgano se agranda.

Posiblemente lo más notable es el súbito crecimiento de pelo en algunas partes especiales. Aparece la barba en la cara y muy pronto el jovencito de ayer encuentra que ahora tiene que afeitarse para lucir bien. (Vamos a hablar de esto más tarde.) El pelo empieza a crecer también en las axilas, en el pecho, y en la región púbica.

¿Cuáles son otras de las características secundarias del sexo?

Como todo adolescente que está en su desarrollo sabe, la voz empieza a afectarse. Al principio como que falla y finalmente se "quiebra". En vez de hablar en un tono alto, la voz baja varios grados. Dentro de un año o dos (o tal vez más), se empieza a desarrollar una voz profunda, llena, resonante y generalmente muy agradable. Ya no puede cantar más como soprano en el coro de la escuela. Ahora está, más bien, capacitado para que se lo seleccione como barítono o bajo en un conjunto coral. Una vez que la voz cambia, es algo definitivo.

¿No se desarrolla también la musculatura?

Por supuesto. La testosterona es una asombrosa productora de musculatura. Se desarrollan todos los músculos, y el cuerpo típico del hombre masculino, que siempre asociamos con los años maduros, queda formado finalmente.

En otras palabras, el muchacho se metamorfosea en un hombre, en todo el sentido de la palabra. Y una vez que llega a ese punto, no regresa a la etapa ya superada.

¿Se relaciona todo esto con la producción de espermatozoides?

Sí, está íntimamente relacionado con las células masculinas de la reproducción. Esto significa que el organismo empieza a producir espermatozoides. Estos ascienden desde los testículos hacia las vesículas seminales para ser almacenados allí.

No todos los adolescentes comprenden que cuando comienza la producción de espermatozoides ellos están en condición de procrear.

Estoy seguro de que muchos jóvenes de 14, 15, 16 y 17 años no comprenden perfectamente el significado de esto. Pero es un hecho que debe ser recordado y manejado con mucho respeto.

Cómo reacciona la naturaleza

¿Qué ocurre si la producción de espermatozoides llena totalmente las vesículas, sobre todo en el caso de algunos jóvenes varones que no están casados y por lo tanto, no practican las relaciones sexuales?

La naturaleza maneja muy bien este asunto. Según las vesículas se van llenando de líquido seminal, resulta muy natural en muchas personas tener sueños eróticos durante la noche. El resultado normal de esto es lo que se conoce comúnmente como "emisión nocturna" o "sueño mojado". Las vesículas se contraen espontáneamente y el fluido seminal es expelido a través de la uretra, y sale al exterior por la pequeña abertura ubicada en el extremo del pene.

Muchos jóvenes parecen desarrollar fobias y complejos de culpa debido a este asunto.

Es cierto, algunos que han sido criados en una estricta disciplina religiosa, al tener estas emisiones nocturnas piensan que han cometido algún pecado.

Sin embargo, nada más lejos de la verdad, pues se trata de algo muy natural. No es dañino, no causa perjuicio ninguno al cuerpo, ni debilita en manera alguna el organismo ni el intelecto.

Mi consejo es que nadie debe preocuparse por esto. *Téngase la seguridad de que es algo perfectamente normal.* No hace falta ir a visitar al médico, ni tomar ninguna otra medida. Sin embargo, me parece que sería bueno que hiciéramos algunos comentarios en este punto acerca de las emisiones en general.

¿Qué piensa usted sobre todo esto?

Muy a menudo estas emisiones están relacionadas con sueños eróticos. Es algo muy común en el varón imaginar que está participando en el acto sexual aun cuando de hecho esté dormido y nunca antes haya tenido contacto físico con ninguna mujer. Esto es sencillamente una de esas cosas inexplicables que ocurren.

Esto revela que los procesos psicológicos del joven se están desarrollando. Su cerebro se está desarrollando bajo la influencia de la testosterona. Se ha despertado un gran interés de parte del muchacho hacia las muchachas. Se da cuenta de que está convirtiéndose en un hombre.

Súbitamente siente la gran atracción del sexo en toda su vibrante vitalidad.

Con los medios de publicidad que lo bombardean desde todo ángulo, envuelto en el ambiente de una sociedad sexualmente orientada, es muy fácil que caiga en las redes de un mundo loco de placer sexual.

El resultado, por supuesto es que estas excursiones eróticas nocturnales por un mundo de fantasía, pueden llegar a convertirse en algo muy real. Es posible aun que llegue a experimentar una profunda satisfacción como fruto de estas emisiones. Como consecuencia de esto, muchos tratan de reproducir a la noche siguiente los sueños que tuvieron en la noche anterior. Poco después empiezan a descubrir que el estímulo artificial del pene también produce resultados similares.

La masturbación

Y entonces se desarrollan malos hábitos ¿no?

Exactamente. Se puede formar el hábito de la masturbación.

¿No es el glande del pene una de las partes más sensibles de todo el sistema?

Ciertamente. Hay millones de pequeños nervios terminales en esa parte del cuerpo. Durante la erección esas estructuras se tornan más sensibles que nunca y responden vigorosamente al estímulo. Por supuesto, el propósito de todo esto es lograr que el contacto sexual sea más efectivo.

Pero estas cosas se dejan para el tiempo apropiado. Están diseñadas para el momento del matrimonio, cuando el placer sexual se puede alcanzar legítimamente. ¿Por qué entonces arruinar tan hermosa ocasión con una inútil complacencia artificial antes del debido tiempo?

Luego hablaremos más sobre este asunto. Pero ahora vamos tan sólo a mencionarlo y dejarlo en el pensamiento para que se lo siga considerando. Así es que solamente manténgase alerta. No adopte hábitos malos de los cuales más tarde tendrá que arrepentirse. Lo que puede empezar como algo muy sencillo, sin mucha importancia, como "hábito de entretenimiento", puede más tarde convertirse en algo más grave. Por lo tanto esto merece mucho más que tan sólo una ligera consideración.

El afeitarse, y otras cosas más

Usted dijo antes que iba hablar del pelo en relación con el crecimiento del joven. ¿Qué puede usted decir al respecto?

Estoy recibiendo constantemente cartas de jóvenes que no se sienten tan felices como debieran sentirse. ¿Y por qué? Pues sencillamente porque no les ha empezado a crecer la barba todavía. Por supuesto, para nosotros los que nos hemos estado afeitando desde hace más años de los que quisiéramos que hubieran pasado, hace tiempo que esto dejó de tener importancia. De hecho, estoy seguro de que estaríamos más que felices si la barba no nos creciera más.

¿Pero no es así con los adolescentes?

No. Ellos sienten que todavía no son parte del "grupo". Todos los seres humanos poseen el "instinto de rebaño". Les gusta ser parte de la multitud. Ser diferentes es como si fuesen rechazados. Si alguien se sale de la multitud, en seguida es notado.

Probablemente esto está bien cuando se tiene una posición destacada; pero cuando se está luchando sólo para retener una pequeña posición en la sociedad, entonces es diferente. En ese caso se trata de ser igual, en todo lo posible, al resto del grupo.

Algunas escuelas requieren de sus alumnos que lleven uniformes. Por supuesto, los alumnos generalmente odian el aspecto de su uniforme. Pero en su interior realmente se sienten felices con él. Es como algo que iguala a todos. Les da a todos la misma norma. Puede ser que el padre de Pepito sea el dueño de la mitad del pueblo, que viva en una gran mansión, que tenga tres automóviles, un yate y además una magnífica piscina o alberca. Pero en la medida en que Pepito, Tomás y Enrique usan la misma ropa gris de la escuela, todos se sienten iguales.

Olvidémonos de los uniformes escolares y volvamos al asunto del pelo. El pelo que brota en la cara.

Cuando las hormonas empiezan a hacerse sentir, la barba (igual que el pelo en otros lugares característicos del cuerpo) empieza a aparecer. Algunas personas naturalmente ''maduran'' un poquito antes que otras. La barba entonces aparece primero en ellas que en los otros.

Por lo tanto tienen que echar mano a la maquinilla de afeitar antes que los demás.

Exacto. Pero mirándolo como un signo de virilidad, por decirlo así, eso se convierte al fin en ''lo importante''. Los que se afeitan sienten que les llevan ventaja a los que no se afeitan. Se consideran a sí mismos más crecidos y más hombres.

Por lo tanto, hay que pensar que los demás desearán afeitarse también, ¿no es así?

Por supuesto. Las numerosas cartas que recibo constantemente me impresionan mucho por la importancia que se le da a esto.

''Ya todos mis amigos se afeitan pero a mí no me ha salido todavía ni un solo pelo en la cara''. ''Necesito urgentemente su ayuda. ¿Qué puedo hacer para que me salga barba?'' ''Estoy pensando suicidarme, irme de mi casa, cambiar de escuela, etc., porque mis amigos se burlan de mí debido a que todavía no me crece la barba''.

Todos éstos son ejemplos típicos de las cartas y consultas que recibo.

¿Y qué contesta usted?

Por supuesto, el problema generalmente se resuelve por sí mismo. Tan pronto como el organismo empieza a producir un poco más de testosterona, el pelo *tiene* que crecer. Es solamente asunto de tiempo. Por supuesto, hay algunos casos raros de deficiencia hormonal que ocurren cuando los testículos no funcionan debidamente, y entonces el pelo no crece. Pero esto es la excepción y ocurre muy pocas veces. Generalmente estos casos se llevan a alguna clínica especializada en endocrinología de las que hay en muchos hospitales, y allí entonces se les administra un tratamiento que la mayoría de las veces da muy buenos resultados. Pero hay muchos casos en que ni siquiera requieren tratamiento.

¿No es verdad que a veces ocurre lo contrario?

¡Definitivamente! Como dije antes, en la vida siempre queremos algo distinto de lo que poseemos. Muy a menudo recibo cartas de personas que han sido muy bien dotadas de abundante pelo. Además de poseer una tupida e impresionante barba negra, poseen también pelo en muchas otras partes del cuerpo.

Y estos también están siempre solicitando la poción mágica que les ayude a reducir el crecimiento del pelo.

¿Y qué les contesta usted?

Generalmente les menciono el caso de individuos que no tienen vellos. Les digo que lo opuesto a la condición de ellos al fin y al cabo no es tan agradable como ellos pudieran pensar. Si se les recalca bien esto y se les destaca el aspecto de la virilidad, la mayoría de ellos se sienten muy complacidos y llegan a creer que son, después de todo, Sansones modernos.

¿Qué piensa usted de las modernas modas masculinas en cuanto al arreglo del cabello y la barba? Lo que se acostumbra actualmente parece ser modas y estilos de épocas pasadas.

El cabello largo, según parece, ha llegado para quedarse por bastante tiempo entre los hombres.

Por mi parte no tengo preferencias. Las modas cambian, y si la sociedad acepta la costumbre de que los varones lleven el cabello más largo que antes y usen barba, yo no me opongo. Hay, sin embargo, dos asuntos importantes que se deben considerar.

¿Y cuáles son estos?

Primeramente, aparte del largo del cabello, yo no puedo soportar la falta de higiene ni la suciedad que se acumula en los cuerpos de muchas personas. Todavía se pueden conseguir el agua y el jabón bastante baratos. Es cuestión de sentido común mantener limpios nuestros cuerpos en todo momento. No hay excusa alguna para tener un aspecto de dejadez y desaseo. La falta de higiene contribuye al desarrollo de las enfermedades y reduce la capacidad del cuerpo para contrarrestar los gérmenes. Yo no pido excusas por este comentario y no me preocupa mucho si no le gusta a alguno cuando lo lea en este libro. La limpieza y atención cuidadosa a las reglas de la higiene siempre producen grandes beneficios. Un muchacho puede vestirse con desaliño si así lo desea o si la moda así lo ha establecido; pero debe ser limpio en medio de su desaliño. (Además, la mayoría de las mujeres se sienten atraídas por la limpieza.)

¿Cuál es el siguiente punto?

Los peligros que hay en el uso del pelo largo merecen más que tan sólo una mención pasajera. Si usted ha salido ya de la escuela o del colegio y trabaja en una industria, tome todas las precauciones necesarias para que su cabello no se vaya a enredar en la maquinaria del lugar donde trabaja. Muchas personas han perdido su cabello, y hasta recibido lesiones en el cuero cabelludo al ser alcanzadas por máquinas que no ven, ni sienten, ni entienden. No deje de usar algún tipo de gorra para la cabeza, sobre todo si así lo exigen los reglamentos del lugar donde trabaja. Algunas máquinas están equipadas con ciertos aditamentos protectores para estos casos. Pero la experiencia me ha enseñado que, a pesar de todo esto, se siguen produciendo accidentes. Está muy bien cuando esto sucede en las cabezas de otros, pero cuando es en la suya entonces la cosa es diferente.

Si escucha la voz de la experiencia, si usa el sentido común, si toma los debidos cuidados, si sigue consejos, todo esto le ayudará a mantener su cabello debidamente recogido. Se sentirá, además, mucho más cómodo.

5

Hablemos de las muchachas

¿Cuándo deben los padres instruir a sus hijos acerca del desarrollo sexual?

Esta es una buena pregunta. Yo no tengo dudas en cuanto a la respuesta. No debe ser a los 12, ni a los 14, ni a ninguna de esas edades.

De hecho, esa instrucción debe comenzar el mismo día que saquen al bebé del hospital para llevarlo a la casa.

¿Quiere decir que esta orientación debe comenzar desde el mismo nacimiento?

Sin duda alguna. Si al bebé se le hace crecer en un ambiente en donde todas las cosas (asuntos relacionados con el sexo y demás) se discuten normalmente con naturalidad, no habrá un ''día difícil'' (como muchos padres lo llaman) cuando se debe hablar a los hijos sobre los aspectos privados de la vida.

No hay duda sobre esto, los niños empiezan a hacer preguntas desde muy temprana edad.

¡Ciertamente! Y qué mejor oportunidad que esas ocasiones para responder a los niños con contestaciones veraces y correctas. Según vayan pasando los años, vendrán preguntas todavía más profundas. Pero si ha existido un buen entendimiento entre padre e hijo, las preguntas y las respuestas surgirán fácilmente, sin complicaciones de ninguna clase y sin que se produzcan situaciones embarazosas.

Las mentes de los jóvenes son como esponjas. Almacenan enorme cantidad de información. Probablemente mucha de esta información nunca se usa. Pero una gran cantidad de ella se almacena en el subconsciente. Este es algo así como una computadora. Los datos se van almacenando allí silenciosamente y quedan hasta que un día se unen unas partes con otras y surgen las respuestas deseadas automáticamente. En mi opinión, el conocimiento del sexo se va formando de esa manera. Si se contestan las preguntas correctamente desde el mismo principio, se irá formando un cuadro bastante completo del asunto.

La mente del niño en desarrollo acepta esa información y la va relacionando con la vida en general. Con toda seguridad que, según vaya pasando el tiempo, su memoria irá recibiendo una cantidad mayor de información, mucha de ella falsa, inútil y sensacionalista. Esto también entra en la "computadora" del cerebro. Pero todo esto es el proceso del aprendizaje. Yo creo que los padres tienen la ventaja de que pueden alimentar la mente de sus hijos mucho antes que otros medios que influirán sobre el niño. Así que el bienestar futuro de sus hijos está en gran medida en sus manos.

¿No cree usted que gran parte de la educación sexual de los jóvenes la adquieren de lo que oyen por aquí y por allá?

Definitivamente. Los chicos reciben el conocimiento fundamental del sexo muy temprano en su vida. Un buen amigo mío, que es director de escuela, opina que cuando un chico llega a la escuela secundaria ya está completamente informado de la mayor parte de los conceptos teóricos sobre el sexo.

¿Cree usted que esto es cierto?

Yo creo que él está bastante en lo correcto. No es que hayan tenido ya la experiencia práctica de lo que nosotros llamamos sexo, pero sí están muy familiarizados con los principios generales.

De vez en cuando, una que otra madre preocupada me ha presentado algunos dibujos eróticos que ha hecho uno de sus hijos. Generalmente, por supuesto, son dibujos del sexo opuesto, pero los detalles anatómicos son bastante exactos en la mayoría de los casos.

Lo que nos muestra que los chicos poseen cierto conocimiento sobre el sexo a esa edad tan temprana.

¿Usted aprueba lo que se llama "conversaciones sucias" entre los niños de escuela?

El término "sucias" es relativo, según me parece. Las conversaciones que los niños sostienen acerca del sexo están limitadas al conocimiento que ellos tienen sobre el asunto. Según va aumentando la edad, mayormente cuando el sistema hormonal empieza a

funcionar, se producen cambios psicológicos inevitables. Entonces no pueden evitar interesarse en el sexo. Si no lo hacen no serían seres humanos normales.

A mí me parece que sería muy conveniente, y yo diría que hasta necesario, el que se propicie libertad para que los chicos discutan francamente, entre ellos mismos, los asuntos del sexo, así como también lo hagan con las personas mayores.

Las conversaciones sobre el sexo no se pueden reputar como "sucias" sencillamente porque traten de asuntos sexuales. Pensar lo contrario sería un error. La discusión abierta es algo que debe ser estimulado. Esto en sí contrarresta la pornografía, y por cierto, yo estoy muy en contra de esto último. Cuando el sexo se coloca al nivel de otros temas, considerándolo como algo normal, entonces el "sexo adulterado", la pornografía, y todo eso, no se hace tan deseable para los chicos.

La anatomía femenina

Yo estoy de acuerdo con usted, y también creo que la generación que se está levantando se encuentra bastante bien informada en cuanto al sexo. Por lo tanto, para poner las cosas en su correcta perspectiva, nuestro propósito es presentar un breve esquema del organismo femenino tal como hemos explicado la anatomía y la fisiología del varón.

Estoy muy de acuerdo. Me parece que sería muy conveniente tener el conocimiento de ambos sexos. De esta manera es más fácil lograr una mayor comprensión de la relación entre un muchacho y una muchacha.

Vamos a empezar con la estructura genital de una mujer normal.

En la parte externa se encuentra la *vulva*. Esta incluye todas las partes que se pueden ver de frente.

En la parte de arriba, en la región púbica, hay una zona más saliente denominada monte de Venus. Durante la pubertad, empiezan a crecer vellos en esta zona y más tarde la cubren toda.

Debajo, y a ambos lados, hay unos pliegues grandes y redondeados que se conocen como labios mayores. Esto es la contraparte femenina del escroto masculino. Normalmente, en la posición erecta, con las piernas juntas, los labios se juntan y forma una protección efectiva para las estructuras interiores.

¿Hay alguna otra estructura?

Sí. Los llamados labios menores de la vulva, llamados también "ninfa".

Estos son dos pliegues más pequeños, protegidos por los labios mayores. Los pliegues son más prominentes hacia el frente, en donde se unen por cada uno de sus lados con otra estructura muy importante llamada clítoris.

El clítoris es una estructura pequeña, alargada y redondeada. Está hecha de tejidos eréctiles, y su extremo, como en el caso del pene, es extremadamente sensitivo.

Realmente, el clítoris está formado por diversas masas de terminaciones nerviosas y es muy susceptible al estímulo.

El clítoris juega un papel muy importante en el acto del coito. Cuando se lo estimula con suavidad y delicadeza, todo el cuerpo se excita. El pequeño órgano se inunda completamente de sangre (igual que el pene). Esto ayuda a preparar las estructuras genitales para la penetración del pene. Entonces, por acto reflejo, las glándulas de Bartholin producen sus secreciones, las que desempeñan un papel importante en la lubricación y sensación sexual culminante que se conoce como orgasmo.

A pesar del hecho de que todas las mujeres están dotadas de una composición anatómica igual, algunas pasan por la vida matrimonial sin darse cuenta de que un órgano tal existe. Muy a menudo se quejan amargamente de que son "frígidas".

¿Cree usted que existe tal cosa como un estado de frigidez?

Básicamente, no. La frigidez está en la mente. Sólo refleja la triste verdad de que la persona nunca ha comprendido completamente lo que es y lo que representa su anatomía. Repito, toda mujer tiene las condiciones básicas para disfrutar de una perfecta vida sexual en su matrimonio.

Pero si tiene la mala suerte de que está casada con un hombre que es ignorante, o que está preocupado únicamente por su personal complacencia sexual, entonces esa reacción que hemos llamado el orgasmo nunca se producirá en ella.

Debido a eso, en vez de ser el sexo algo agradable que se pueda disfrutar, se convierte más bien en un acto sin interés ninguno y completamente mecánico.

"¿Y qué provecho tiene el sexo para mí?" Vez tras vez se ha oído a muchas infelices mujeres expresarse de esta manera. "El disfruta de todo el placer, y ahí estoy yo, sin disfrutar de nada y sin satisfacción de ninguna clase. ¿Es justo que yo me preste para eso?'' Estas increíbles palabras son escuchadas por los médicos todos los días.

La respuesta, por supuesto, es que la relación sexual es para que tanto el esposo como la esposa la puedan disfrutar por igual. Si cada uno se toma su tiempo, pone interés y hace algún esfuerzo, ambos disfrutarán de un excitante y duradero momento de placer. No hay la menor duda en cuanto a esto. Nunca lo olvide. Ello puede estrechar de tal manera los lazos matrimoniales para que nunca se rompan.

La entrada a la matriz

¿No está la abertura de salida de la vejiga bastante cerca del clítoris?

Como a una pulgada más abajo del clítoris hay una pequeña abertura que es la salida externa de la uretra, siendo éste el canal a través del cual se desplaza la orina hacia el exterior.

Por debajo de esto está localizado el *orificio vaginal,* que es la puerta de entrada al conducto genital femenino.

¿No es verdad que existe toda clase de mitos acerca de la membrana que cubre la vagina?

Ciertamente hay muchos. Ellos solos podrían llenar un libro. Pero no vamos ahora a hablar a nuestros lectores acerca de todos ellos, sino que consideraremos los más importantes.

La entrada de la vagina originalmente está protegida por una membrana denominada himen. Su forma y su tamaño varían grandemente.

Ciertamente, en algunas es un reborde muy delgado que rodea la entrada vaginal. Pero en algunos casos puede ser una membrana resistente que cubre la mayor parte del orificio vaginal. Sin embargo muy raras veces llega a ese extremo. En muchas vírgenes es sólo un pequeño y delgado tejido, de forma irregular y bordes como estriados, que varía mucho en tamaño. Es realmente una estructura residual y no desempeña ningún papel importante en la vida del adulto.

No obstante, los mitos y los cuentos de comadres han rodeado el himen de las más extrañas creencias. Se suele decir que es un signo de virginidad. No hay duda de que el himen generalmente se rompe por completo en el primer coito. Pero a la verdad, el hecho de que a una mujer se le haya afectado el himen, no necesariamente quiere decir que no tenga virginidad.

¿Pueden ciertas prácticas relacionadas con la menstruación afectar el himen?

Ciertamente. En la actualidad está aumentando mucho el uso de materiales absorbentes que las mujeres usan en forma interna durante la menstruación. Muchas prefieren estos tapones internos a los paños que tradicionalmente se han diseñado para ser usados en forma externa. El tapón de uso interno es hecho de un material muy absorbente que se introduce en el canal de la vagina.

A la primera señal de que la menstruación ha comenzado, se introduce en el canal vaginal este objeto. Luego se lo va reemplazando a intervalos regulares. Este método entonces resulta muy efectivo para absorber la sangre que fluye durante ese tiempo. No obstante, el uso repetido mes a mes, de los tapones vaginales puede modificar en cierta forma el himen, de la misma manera como puede ser modificado durante el coito.

Por supuesto, en los casos en que el himen está formado por una membrana resistente no se produce una modificación muy evidente. Frecuentemente escuchamos acerca de mujeres jóvenes a quienes se les hace difícil usar estos objetos, y esto se debe a que tienen un himen muy rígido. En estos casos, mediante una operación muy simple se corrige dicha situación, y entonces sí pueden usarlos.

¿No es cierto que en algunas sociedades se le da mucha importancia al hecho de conservar el himen intacto?

Sí. Muchas veces he tenido oportunidad de dar atención ginecológica a mujeres procedentes de Europa. En algunas ocasiones he necesitado hacer los exámenes de los órganos pélvicos, y hasta cirugía del útero. A veces los familiares, generalmente los padres, piden un certificado escrito en donde se describa la naturaleza del procedimiento, la urgencia del mismo y los resultados. Un himen intacto parece ser para ellos como una señal indispensable de la pureza premarital.

¿Se produce alguna hemorragia cuando se rompe el himen?

Es posible que haya un cierto grado de hemorragia. Innegablemente, en algunas culturas esto es de mucha importancia en la noche nupcial.

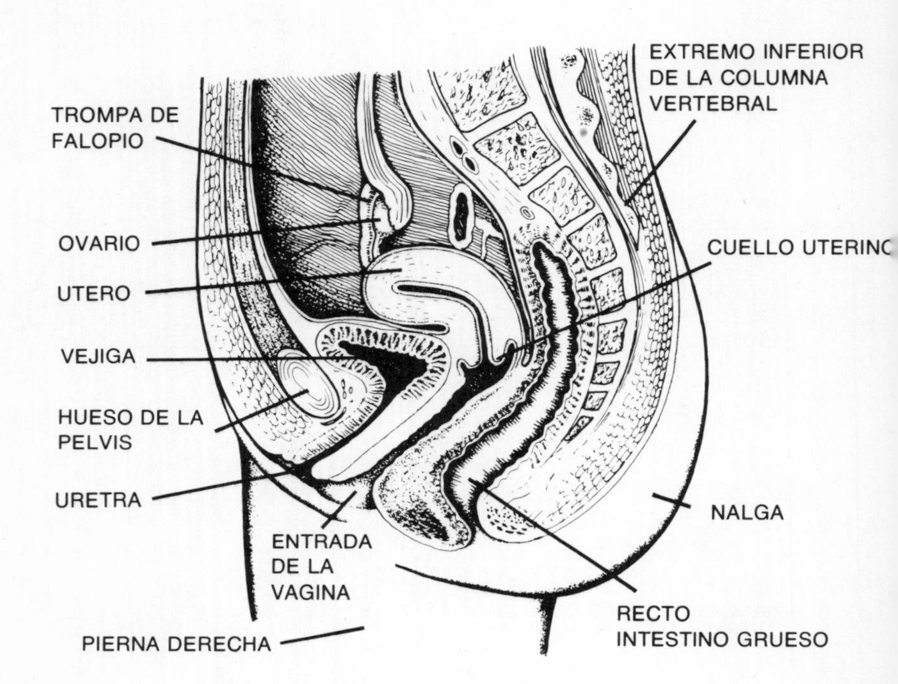

Fig. 3. LA PELVIS DE LA MUJER

Sección de la pelvis femenina y de los principales órganos reproductores, vistos desde el lado izquierdo.

El canal vaginal se encuentra entre la uretra y el intestino grueso. En el extremo superior de la vagina se proyecta el útero. A ambos lados del útero se encuentran las trompas de Falopio. Los ovarios se hallan en el extremo exterior de estas trompas.

¿Hay alguna manera de cerciorarse en cuanto a la virginidad de una mujer?

Todo varón, parece, desea casarse con una virgen. La gente me hace muchas veces esa pregunta.

Anatómicamente, no es posible dar una respuesta definitiva. Pero la respuesta que yo suelo dar, es: "Viva una vida de la cual usted mismo pueda sentirse orgulloso. Respalde a sus amigos que tienen normas tan elevadas y relaciónese con ellos en vez de asociarse con los que tienen normas más bajas. De esta manera usted se unirá finalmente con una persona cuyo concepto de la vida es semejante al suyo, y automáticamente podrá encontrar su compañera apropiada sin tener que preocuparse tanto por las evidencias físicas. Después de todo, siempre hay una joven que está también buscando un hombre de alto calibre moral. Si Ud. es uno de ellos, las oportunidades de tener un matrimonio feliz y exitoso son muy grandes".

Los órganos genitales internos

Hasta el momento no hemos hablado más que de la entrada externa de la vagina.

Correcto. Las estructuras que hemos descrito corresponden solamente a los órganos genitales externos.

De este punto ahora seguimos hacia los órganos genitales internos.

Estos comprenden la vagina, el útero (o matriz), las trompas de Falopio y los ovarios.

Hablemos un poco más acerca de la vagina.

Este es el conducto genital que va desde la abertura externa hasta el útero. Está formado por un tejido firme, recubierto de una membrana húmeda y de color rosado. Generalmente está plegado, formando dobleces.

Este órgano tiene muchas funciones. Los pliegues parecen ayudar a incrementar el estímulo durante el acto del coito. Pero además sirven para permitir que se expanda a un tamaño considerable. Esto es muy importante sobre todo durante el embarazo. Sin esta capacidad elástica, la vagina podría sufrir daños inevitables.

La vagina, por supuesto, recibe el pene durante el coito. Por esa razón la posición de la misma es equivalente a la del pene cuando está en su forma erecta.

¿Entra también la matriz en todo este cuadro?

Sí. De hecho el útero o matriz se proyecta dentro de la parte superior del canal vaginal, que tiene forma de domo. Es como si se dijera, el techo de la vagina. Esta parte de la matriz se conoce con el nombre de cuello uterino.

Realmente el útero tiene una forma parecida a una pera. La parte superior del mismo, que es la más ancha y se conoce como "cuerpo", es la parte principal de este órgano.

El cuerpo se va estrechando hasta el "cuello" o cérvix.

Hay un estrecho conducto que va del orificio de entrada del cuello uterino hasta el interior de la matriz. La apertura que está en la entrada del cuello se denomina orificio uterino externo, y la parte que desemboca dentro de la matriz, orificio uterino interno.

El conducto se extiende a todo lo largo del cuello de la matriz.

¿Es realmente el cuello uterino algo muy importante?

Sí. De hecho, para la mujer esto es de lo más importante que hay en su cuerpo. Puede considerarse como la número uno entre todas las zonas del cuerpo propicias al cáncer. Sin duda todos han oído o leído de la conocida prueba de "Papanicolaou", que frecuentemente se hace a las mujeres.

Durante este examen (que es algo rutinario en ginecología), se extrae una muestra de las secreciones del cuello uterino. Esta se coloca sobre una laminita de vidrio, se la mezcla un poco con una solución de alcohol y se la envía al laboratorio del patólogo.

Más tarde, después de mezclársela con ciertas tinturas especiales, se coloca bajo un potente microscopio y se analiza. En esta forma se pueden descubrir a tiempo las primeras fases de un cáncer. Las células típicas del cáncer se pueden ver claramente si están presentes.

¿Y que pasa si la prueba resulta positiva?

Entonces el patólogo se lo comunica al médico e inmediatamente se le hace a la paciente una biopsia.

Esta consiste en extraer de la matriz una porción de tejido en forma de cono. Cuando se encuentra que el cáncer está en sus primeras etapas, muy a menudo conviene extirparlo totalmente.

Entonces otra vez el patólogo examina ese tejido. Así puede determinar con bastante exactitud si el recrecimiento canceroso ha sido removido completamente. Si está satisfecho, ya no hay que hacer nada más.

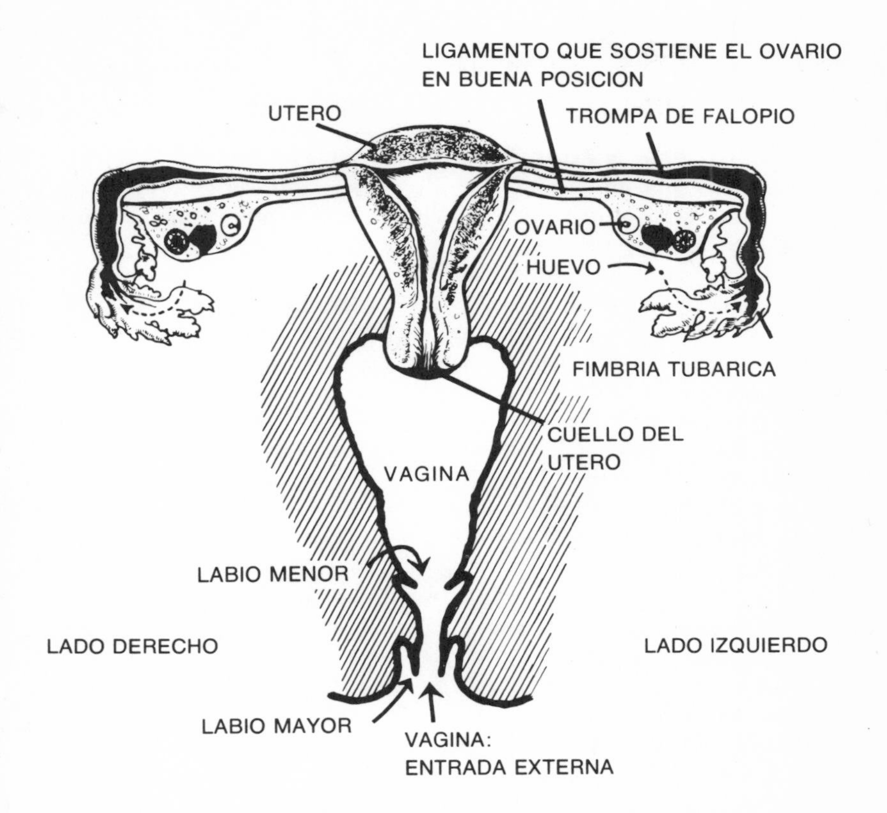

Fig. 4. ORGANOS DE REPRODUCCION DE LA MUJER

Ilustración diagramática de los órganos reproductores de la mujer, tal como se ven desde el frente. *(Compárese con la Fig. 3.)*

Se muestra aquí una vez más la dirección que sigue el conducto desde el exterior, pasando por la vagina y el canal cervical hasta los cuernos del útero (matriz). En los extremos exteriores de las trompas de Falopio se encuentran unas estructuras en forma de abanicos festoneados, las fimbrias tubáricas, que están en íntima relación con los ovarios u órganos productores de huevecillos microscópicos llamados óvulos.

El ovario izquierdo acaba de liberar un óvulo. La línea punteada señala la dirección que seguirá. El movimiento ondulante de los festones de la trompa ayudará al óvulo a entrar en el canal.

El embarazo puede ocurrir en este canal de la trompa si un espermatozoide (célula masculina) fecunda el óvulo.

¿Y qué ocurre si no está satisfecho con el resultado?

Entonces hace falta una operación más extensa.

¿Y salvan vidas a menudo estas operaciones?

Absolutamente. Mientras más temprano se detecte el cáncer, y más rápidamente se inicie el debido tratamiento, mayores serán las posibilidades de salvar la vida.

Estas pruebas de Papanicolaou son un magnífico medio para descubrir el cáncer prematuro del cuello uterino.

¿Y cuál es la forma del cuello uterino?

En las mujeres que no han dado a luz, es de forma cónica y alargada. Sin embargo, después que una mujer ha tenido un hijo, el cuello como que se aplasta un poco.

¿Cómo es el útero por dentro?

El útero o matriz es una estructura muy interesante. Funciona como una incubadora. Cuando ocurre el embarazo, acoge al huevo fertilizado. Entonces el huevo queda allí durante los nueve meses hasta que se produce el nacimiento.

Cada mes, el revestimiento interior de la matriz se prepara para recibir un huevo fertilizado. Por supuesto, esto generalmente no ocurre. Así que este revestimiento, llamado endometrio, es eliminado a lo largo de tres a seis días como una descarga de sangre que se conoce como período menstrual.

De un período menstrual al otro hay un intervalo de 28 días; con todo, esto puede variar grandemente.

Las variaciones generalmente van de 20 días a 40 días, y a veces hasta aun más que eso, según se ha informado. No obstante, muchas mujeres tienen un ciclo de 28 días y son tan exactas que casi pueden saber la hora en que éste va a comenzar.

¿Qué función tienen las trompas en todo esto?

Hay una pequeña cavidad dentro del útero, pero en condiciones normales las paredes están generalmente como adosadas. En la parte superior del útero se une con las trompas de Falopio. Hay una que entra por la parte superior derecha, y otra que entra por la parte superior izquierda del útero. Las trompas tienen unos nueve o diez centímetros de largo. Van hacia afuera y hacia adentro en ambos lados. Son mayormente estrechas, algo así como del espesor de un lápiz delgado.

Hay un estrecho canal revestido de células especiales que parte de la cavidad del útero y se extiende a lo largo de las trompas.

¿Cómo son estas células?

Cada célula tiene un pequeño pelito que se llama cilia. Constituyen un tejido denominado epitelio ciliado.

Estas cilias microscópicas tienden a orientarse en una determinada dirección y su movimiento uniforme produce unas corrientes que se proyectan hacia la cavidad del útero.

La función básica de estos tubos es transportar el óvulo femenino, del ovario al útero.

¿No ocurre la fertilización en el tubo?

Puede ser. Si un espermatozoide se encuentra en el tubo al mismo tiempo que un óvulo femenino, entonces los dos se unen y se produce la fertilización.

En otras palabras, ¿la mujer queda embarazada?

¡Exacto!

¿Cómo puede entrar un óvulo dentro de uno de los tubos?

Las trompas se ensanchan en sus extremos exteriores convirtiéndose como en tentáculos semejantes a dedos. Esto es lo que se conoce como la terminación franjeada. Estos tentáculos están situados muy próximos al ovario. Sin duda que juegan un papel muy importante en ayudar a impulsar el huevo dentro de las trompas cuando es liberado por el ovario.

¿En dónde se encuentra el ovario?

En una pequeña depresión muy cerca de las terminaciones franjeadas de las trompas. Hay uno en cada lado. Tienen la forma de almendras, y son generalmente de un color blancuzco.

Los ovarios contienen la clave de la reproducción de la mujer. Realmente, al ocurrir un nacimiento, el ovario del bebé femenino contiene entre 250.000 a 500.000 óvulos en potencia. Hay que admitir que el mayor número de estos óvulos nunca llega a desarrollarse, pero a pesar de eso existe una cantidad sobreabundante.

Los ovarios son la contraparte femenina de los testículos masculinos, donde se producen las células de la reproducción. La naturaleza es particularmente generosa y se asegura de que siempre haya una reserva abundante para garantizar el proceso de la reproducción.

No obstante, además de producir el óvulo, los ovarios tienen también otras funciones muy importantes.

Pero creo que mejor dejamos esto para el próximo capítulo, debido a que es un tema muy extenso.

6

Algo más acerca del sexo opuesto

Consideremos ahora algunos hechos fisiológicos de las muchachas.

Buena idea. Este es un tema intrigante, y estoy seguro de que muchos jóvenes lectores estarán de acuerdo conmigo. No hay duda de que los cambios físicos que ocurren en las muchachas en desarrollo son una fuente continua de encanto y curiosidad para la contraparte masculina.

Entiendo que hay razones bien definidas que explican estos cambios.

Ciertamente. En el caso del varón, ya vimos que el desarrollo se produce por el influjo de ciertas hormonas.

Igualmente hay sustancias químicas muy poderosas responsables del desarrollo femenino que se producen en la glándula de la cual hemos estado hablando, el ovario.

Así como los testículos producen los espermatozoides, o células masculinas de la reproducción, conjuntamente con la hormona llamada testosterona los ovarios producen una cantidad asombrosa de óvulos y dos importantes hormonas.

¿Qué ocurre con los ovarios en los primeros años de la vida?

Muy poco. De hecho, hasta la pubertad no hay en ellos actividad de ninguna clase. Pero de momento todo cambia. Entre los 10 y 15 años de edad, los ovarios despiertan y se ponen muy activos.

La primera señal externa de esta vitalidad ovárica es el comienzo de la menstruación, denominada "menarca". Sin embargo, suele pasar algún tiempo antes de que el ciclo menstrual normal se establezca y funcione con toda regularidad.

¿Qué función del ovario desencadena la ovulación y el ciclo menstrual?

Como habíamos mencionado antes, el ovario femenino contiene un gran número de óvulos potenciales. Cuando llega la pubertad, muchos de estos óvulos se desintegran. Pero un inmenso número sobrevive. De hecho, quedan de 100.000 a 200.000 de los óvulos originales o *folículos,* como se les suele llamar.

Repentinamente, uno de estos organismos microscópicos se destaca del conjunto. Nadie sabe por qué la naturaleza escoge uno en particular. Se trata de una de esas cosas que sencillamente ocurren. El óvulo aumenta su tamaño rápidamente y poco a poco va desplazándose hacia la superficie del ovario.

¿Qué sucede a continuación?

Pues sucede que súbitamente irrumpe a través de la capa exterior del ovario y entra en la cavidad pélvica. ¡Y ahora qué inmenso recorrido le espera! Frente a él se abre un inmenso y desconocido mar que deberá recorrer. No obstante, no está tan desamparado como pudiera parecer.

Recordemos que las extremidades franjeadas de las trompas de Falopio están bastante cerca. Tan pronto como el óvulo sale, éstas empiezan a moverse en forma rítmica, con lo que producen corrientes que atraen el óvulo hacia la entrada de las trompas. Una vez allí, unos diminutos pelitos, llamados "cilias", que recubren las paredes de las trompas, continúan impulsando el óvulo hacia el útero que lo espera.

Entonces, en esta etapa, la presencia o ausencia de espermatozoides es lo que determina si ocurrirá o no el embarazo.

Precisamente. La fertilización se produce cuando una célula reproductora masculina se une con el óvulo en la trompa. En todo caso, fertilizado o no, el óvulo sigue su descenso hacia el interior del útero.

Pero hablemos ahora un poco acerca del ovario.

Tan pronto como el óvulo es expulsado, el espacio que ocupaba en el ovisaco se llena de cierto material, y en muy corto tiempo se desarrolla allí un órgano de función endocrina que se conoce con el nombre de *cuerpo lúteo* o *cuerpo amarillo.* El cuerpo lúteo produce una hormona llamada *progesterona,* que se derrama en la corriente sanguínea. Ella ejerce una gran influencia en otras partes del organismo, especialmente en el útero mismo, en los senos y también en los órganos sexuales. Su función principal, como veremos más tarde, es la de preparar el útero para la recepción del óvulo fertilizado. En otras palabras, ayuda al sistema reproductor a funcionar satisfactoriamente.

Pero, por supuesto, en la mayoría de los casos no se produce el embarazo.

¿Qué sucede entonces?

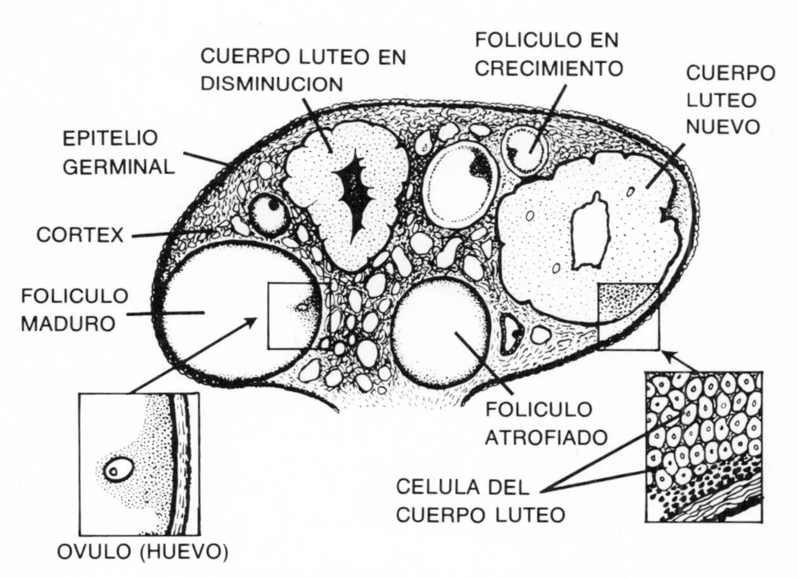

Fig. 5. EL MARAVILLOSO OVARIO

El ovario tiene una actividad increíble. Este diagrama muestra las diferentes fases que hay desde la formación de un óvulo hasta el momento en que es liberado.

El ovario contiene miles de óvulos potenciales llamados folículos. Cada mes uno solo se desarrolla o madura. A medida que lo hace, crece gradualmente y se acerca a la superficie del ovario. El óvulo diminuto finalmente es liberado del ovario e inicia su marcha a la trompa que lo espera.

El espacio dejado por el óvulo es llenado por el cuerpo lúteo, el cual se constituye en una estructura productora de hormonas.

A medida que pasan los días, el cuerpo lúteo se hace más y más pequeño, y finalmente deja de producir hormonas. Entonces, poco a poco, otro folículo primordial comienza a crecer y a convertirse en un óvulo.

Hay de 100. 000 a 200. 000 óvulos en potencia en cada ovario, o quizá más. La capacidad reproductora de los ovarios es asombrosa.

El cuerpo lúteo continúa produciendo sus hormonas durante 12 a 14 días. Si no ha ocurrido el embarazo, entonces deja de producirlas, cesa su actividad, y el cuerpo lúteo degenera y se coarruga convirtiéndose en el *corpus albicans*. La membrana mucosa que recubre la cavidad uterina (llamada endometrio), y que estaba preparada para recibir al óvulo fecundado, gradualmente empieza a desintegrarse. En ese momento empiezan a aparecer pequeñas cantidades de sangre menstrual, la que aumenta a los pocos días hasta que finalmente todo el endometrio sale al exterior. Eso pone fin a la menstruación.

¡Pareciera que este proceso fuese interminable!

Verdaderamente. Bajo la influencia de otra hormona que también es producida por el ovario, la cual se llama *estradiol*, se empieza a desarrollar otro folículo. Este empieza a aumentar su tamaño poco a poco hasta que, cerca del decimocuarto día a partir del comienzo de la menstruación, ya hay otro óvulo listo para salir. Y así el proceso completo se repite vez tras vez. Además de esta función cíclica, estas hormonas producen otros grandes efectos en el organismo de la mujer.

Durante el período prepuberal, que puede extenderse entre la edad de 10 a 15 años, los ovarios tienen muy poca actividad. Pero cuando se aviva la chispa vital en esta etapa, se producen otros cambios significativos, aparte de la menstruación.

Otros cambios

¿Cuáles son estos cambios?

Se los conoce en conjunto con el nombre de características sexuales secundarias de la mujer. Comienzan a aparecer evidentes señales externas de madurez. Una de las más notables es la redistribución de los depósitos de grasa en el cuerpo. Aparecen las características curvas del cuerpo femenino. Se desarrolla el pecho a medida que los senos empiezan a rellenarse y a convertirse en una parte integrante de la figura femenina. También aparecen vellosidades en las axilas y en la región púbica.

¿Qué hay de las estructuras internas?

En esto también se producen cambios. La vagina se alarga y crece, y las mucosas se espesan. De igual manera, el útero se torna más firme y muscular. También las trompas aumentan su desarrollo. De hecho, todo el sistema se alista para la reproducción.

Muy pronto la niña se ha convertido en mujer, lo que se manifiesta con el comienzo de la menstruación. Ahora el sistema reproductor funciona normalmente, lo cual significa que la adolescente está en condiciones de concebir.

Los muchachos de ambos sexos con frecuencia no comprenden este hecho importante, y no parecen darse cuenta de que a los 14, 15 ó 16 años ya pueden quedar embarazadas y tener un hijo, si es que tienen relaciones sexuales.

¿Y qué hay de los cambios psicológicos? ¿Cómo entra esto en el cuadro general?

Estos cambios ocurren al igual que los cambios físicos. Se advierte también en este período un gran desarrollo en la madurez mental. De pronto las chicas empiezan a darse cuenta de que los hermanos de sus mejores amigas ya no son tan detestables como les habían parecido antes. Eso las predispone a tener amistad con los muchachos, lo que posteriormente produce la atracción sexual.

Conociendo el tiempo

¿Hay alguna manera de saber cuándo ocurre la ovulación en el ciclo menstrual?

Hay varias maneras para determinarlo, pero son complicadas. A menos que la persona tome un gran interés en ello y haga ciertos cálculos sobre una base regular, resultaría difícil encontrar ese momento.

¿No se usa frecuentemente la temperatura como una guía efectiva?

Sí. Se sabe que la temperatura del cuerpo sube cuando empieza la ovulación. Antes de ocurrir ésta, la temperatura que se toma antes de levantarse o iniciar alguna actividad (temperatura basal) es de 36,3 a 36,8 grados centígrados. Cuando comienza la ovulación, la temperatura aumenta súbitamente en 0,3 a 0,5 grados centígrados.

Algunos matrimonios, deseosos de evitar el embarazo, usan esta información como método contraceptivo. Evitan las relaciones sexuales durante dos o tres días antes de la ovulación y otros dos o tres días después de la misma. Eso les da una protección razonablemente segura contra el embarazo.

La esposa (muy a menudo por insistencia del esposo) se toma en la mañana la temperatura basal y la anota en una hoja cuadricu-

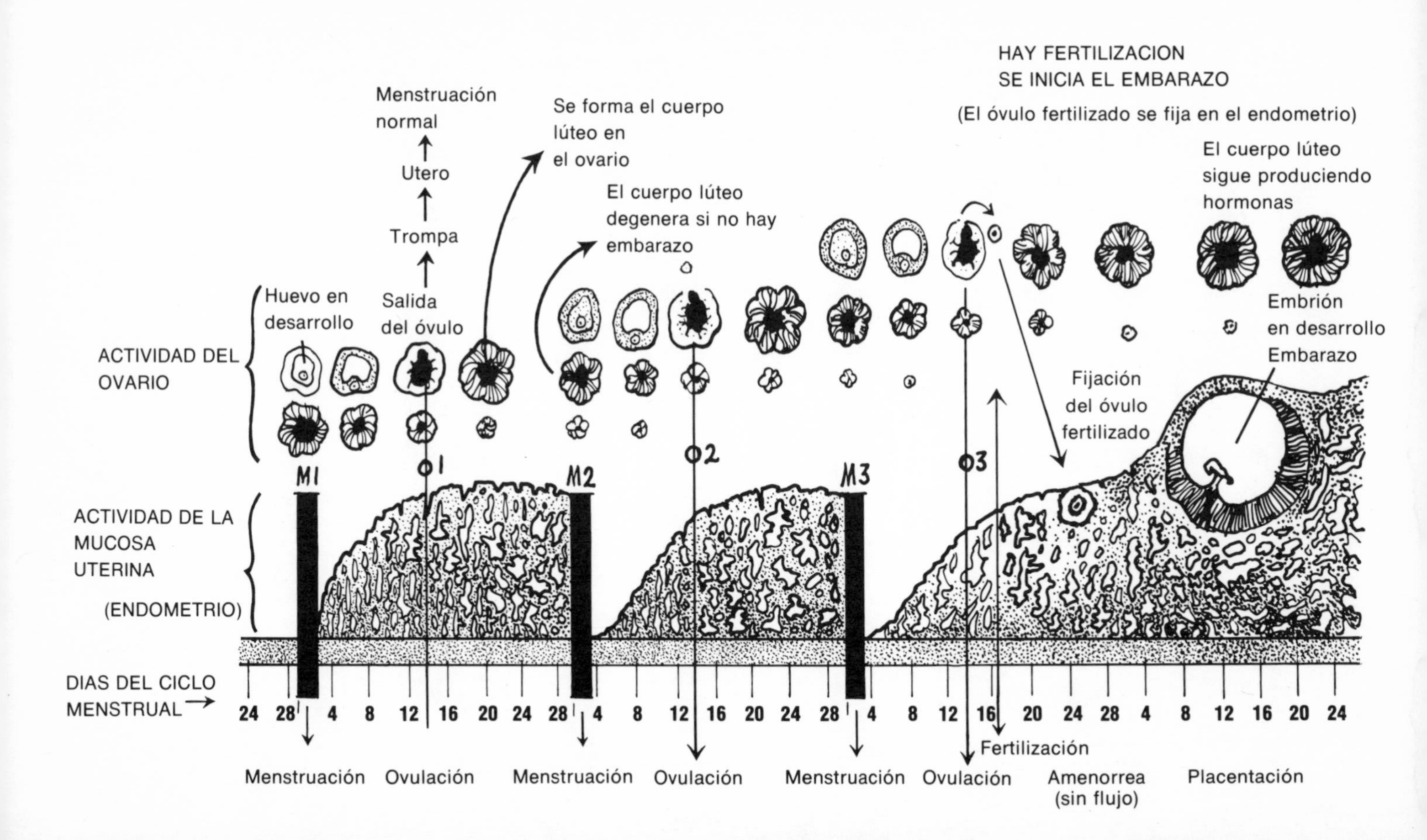
HAY FERTILIZACION
SE INICIA EL EMBARAZO
(El óvulo fertilizado se fija en el endometrio)
Menstruación normal
Utero
Trompa
Salida del óvulo
Huevo en desarrollo
Se forma el cuerpo lúteo en el ovario
El cuerpo lúteo degenera si no hay embarazo
El cuerpo lúteo sigue produciendo hormonas
Embrión en desarrollo
Embarazo
Fijación del óvulo fertilizado
ACTIVIDAD DEL OVARIO
ACTIVIDAD DE LA MUCOSA UTERINA
(ENDOMETRIO)
DIAS DEL CICLO MENSTRUAL
M1
O1
M2
O2
M3
O3
24 28 4 8 12 16 20 24 28 4 8 12 16 20 24 28 4 8 12 16 20 24 28 4 8 12 16 20 24
Menstruación
Ovulación
Menstruación
Ovulación
Menstruación
Ovulación
Fertilización
Amenorrea (sin flujo)
Placentación

lada especial con los días del ciclo menstrual. Cuando la temperatura sube, alrededor de la mitad del ciclo, generalmente indica que la ovulación ha empezado. Por otra parte, algunos matrimonios que desean tener hijos también usan este método, que les indica el momento más propicio para que se produzca el embarazo.

¿No es cierto que algunas religiones recomiendan definidamente la práctica del método de la temperatura o de algún otro método natural de contracepción?

La respuesta es sí. Algunas religiones no están de acuerdo con ciertos métodos muy generalizados para el control de la natalidad (tales como la píldora, los aparatos contraceptivos, y algunas fórmulas químicas). Pero permiten el uso de métodos naturales para la planificación de la familia.

Por lo tanto este método tiene muchos seguidores. Los que los siguen suelen llamarlo el "método de ovulación" para el control de

Fig. 6. OVULACION Y MENSTRUACION

Este diagrama compuesto muestra —en tres meses sucesivos— la relación entre la ovulación y el ciclo menstrual.

El estado del ovario puede verse en la parte superior del diagrama, y el del endometrio o membrana mucosa interior del útero, en la parte inferior.

Las columnas M1, M2 y M3 marcan el comienzo de la menstruación. En este momento comienza la expulsión del óvulo no fertilizado y del tejido interior uterino, proceso que dura de tres a seis días.

Los números bajo el diagrama indican los días de la menstruación. El 1.er día de cada ciclo —comienzo de la menstruación o reglas— está indicado por la flecha vertical bajo las columnas M1, M2 y M3.

Poco después de la menstruación, a menos que haya embarazo comienza a formarse de nuevo el tejido de revestimiento del útero. Durante este tiempo madura otro folículo en el ovario. En la mitad del ciclo —en el día 14 del ciclo menstrual de 28 días— sale del ovario y entra en la trompa, que lo espera. Este se llama "día de la ovulación".

El espacio ocupado por el óvulo en el ovario se convierte en el cuerpo lúteo, cuerpo que produce una hormona que preparará el endometrio o mucosa interior del útero. Pero si no hubo embarazo, transcurrido el día 28 tanto la mucosa uterina como el óvulo son expulsados por otra menstruación. Este proceso se repite sin falta cada mes.

Si ocurre la fertilización (lado derecho del diagrama) el óvulo fertilizado se implanta en el endometrio, y el embarazo avanza. El endometrio se torna más grueso y se establecen conexiones con el torrente sanguíneo de la madre. En este mes el endometrio no es expulsado. La mucosa uterina se convierte más tarde en placenta.

la natalidad. A veces se lo llama también el "método del ritmo"; pero hay muchos que están firmemente en contra de que se lo llame de esta forma, porque lo consideran incorrecto.

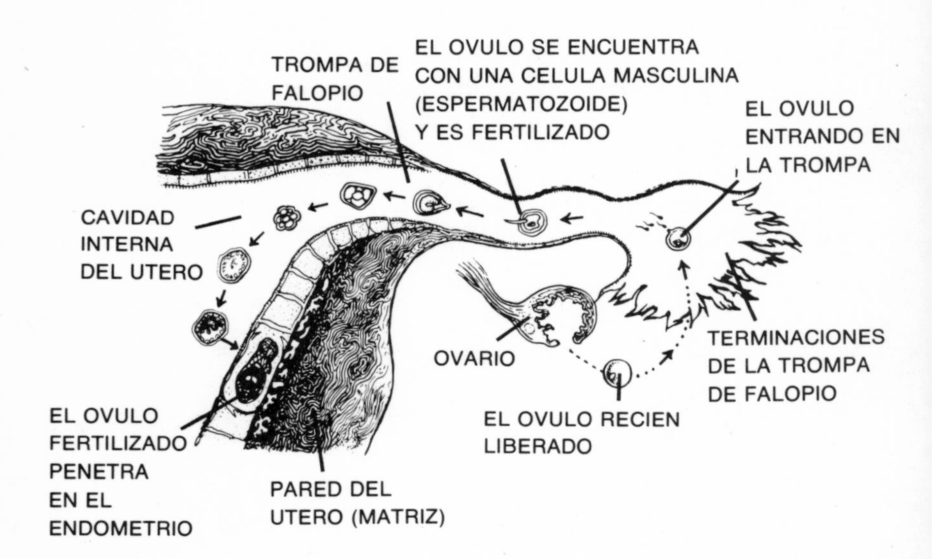

Fig. 7. CUANDO OCURRE LA "OVULACION"

Ilustración gráfica de la "ovulación", de lo que sucede cuando el óvulo microscópico sale del ovario donde se formó.

Apenas sale, el óvulo avanza hacia las terminaciones festoneadas de la trompa, las que lo ayudan a entrar en el canal de la trompa. Ya dentro, las células ciliadas del interior de la trompa y el movimiento ondulatorio de la misma ayudan a impulsar el óvulo hasta el interior.

La fertilización puede ocurrir en el canal mencionado si el óvulo se encuentra con una célula masculina o espermatozoide. El óvulo —fertilizado o no— continuará su camino hasta el útero. Si el óvulo está fertilizado, penetrará firmemente en la pared interior del útero; pero si esto no sucede, el óvulo y el endometrio (o tejido interior del útero) serán expulsados cuando sobrevenga la menstruación.

Al otro extremo de la vida

Supongamos que nos adelantamos un poco al tiempo y echamos un vistazo a la parte final de la vida de una persona. Cuando terminan esos días de la pubertad con la aparición de la menstruación y el desarrollo general del cuerpo, ¿qué ocurre después?

Entre los 40 y los 45 años de edad la mujer experimenta lo que se conoce como la *menopausia*. A esta etapa se le aplican diferentes nombres. Algunos se refieren a ella como el *climaterio* o *cambio de vida*. Pero los nombres no significan mucho. Son solamente una expresión técnica que define un período en la vida de una persona y el conjunto de situaciones que experimenta.

¿Y qué cosas son las que ocurren en ese tiempo?

Se experimenta un proceso a la inversa del que ocurre en la pubertad.

Los ovarios gradualmente van dejando de funcionar y se reducen en tamaño, y los folículos desaparecen y son sustituidos por tejido fibroso. La producción hormonal va desapareciendo lentamente. También cesa gradualmente la menstruación. A veces se interrumpe abruptamente. O más comúnmente ocurre que el espacio entre dos períodos sucesivos de menstruación se alarga hasta que se suspende aun por meses. Luego llega el momento en que la menstruación desaparece por completo.

¿Y qué acerca del embarazo?

Eso pasa a ser historia del pasado. Cuando se llega a los 40 años, mayormente acercándose a los 50, el embarazo resulta muy poco probable.

Pero muy frecuentemente oímos acerca de mujeres que tienen hijos a pesar de haberse ya iniciado la menopausia.

Es cierto. Pero cuando se llega a cierta edad, aun cuando la mujer quede embarazada, en muchos casos la mucosa uterina no puede retener el feto. Entonces es muy probable que se produzca un aborto.

¿Cuál es la edad máxima en la que todavía puede producirse un embarazo?

Es innegable que a veces se producen ciertas situaciones excepcionales. Sin embargo, seguimos creyendo lo que ha sido dicho autorizadamente: "El embarazo después de los 47 años es muy raro y el alumbramiento después de los 52 años nunca ha sido probado".[1]

¿Qué pasa cuando las hormonas del organismo en general van inactivándose poco a poco? Usted ha dicho que la capacidad de la reproducción en el hombre se mantiene a través de toda su vida. Seguramente su contraparte femenina deberá experimentar algunas reacciones si se la priva súbitamente de estos elementos vitales, ¿verdad?

Sí. De hecho, muchas mujeres al pasar por esta etapa experimentan serios problemas. Muchas sufren depresión, nerviosismo, irritabilidad, y otros problemas similares. Otras sienten oleadas de calor, y pesadez en la cabeza, y empiezan a preocuparse muchas veces sin razón valedera. Se ha reconocido claramente que muchos de estos síntomas no son otra cosa sino una intensa reacción ante el convencimiento de que sus días de utilidad han llegado a su fin.

¿Y entonces qué?

Afortunadamente, éste no es el caso. Cuanto más pronto las mujeres se den cuenta de que su actividad sexual puede ser tan intensa, y aun más satisfactoria que antes, por la razón de que no tendrán temor de experimentar un embarazo que no desean, tanto más pronto estarán también disfrutando de una renovada felicidad en sus relaciones íntimas.

¿Existe algún tratamiento para las mujeres que experimentan estos síntomas molestos?

Definidamente. En tiempos pasados los médicos les daban calmantes y sedativos. No obstante, con los nuevos conocimientos científicos de hoy, los médicos les dan una *Terapia de sustitución hormonal* durante un corto tiempo.

Esto logra suplir, aunque en forma artificial, lo que la naturaleza proveía antes de la menopausia. El uso de estas hormonas da resultados excelentes. Innegablemente producen nueva vida y dan mayor vitalidad a la mujer que durante un tiempo se siente muy decaída.

¿Cree usted que el ambiente del hogar tiene que ver también con esto?

Muy cierto. El trato cuidadoso y la atención de los miembros de la familia hacia la madre, cuando ella está pasando por esta experiencia tan difícil, llega a ser para ella realmente una gran ayuda. Muchas veces sucede que para ese tiempo los que viven todavía en el hogar son los miembros más jóvenes de la familia.

Yo siempre trato de pedir la cooperación de éstos. Su ayuda puede significar mucho para la pobre madre que pasa por tan difíciles momentos de su vida.

---

1. *Samson Wright's Applied Physiology, 11.º* edición revisada (C. A. Keele y E. Neil, editores. Oxford University Press, Londres).

7

El placer de salir juntos

¿No podremos darle una aplicación práctica a lo que hemos dicho? Hasta aquí nos hemos concentrado en hablar de la estructura, la naturaleza y el desarrollo del organismo. Realmente hemos hablado de ambos sexos. Es importante conocer todos estos detalles. Pero lo más importante consiste en saber cómo aplicar estas cosas a la vida en general.

Concuerdo plenamente con eso. El conocimiento teórico es magnífico. Pero sólo hasta cierto punto. Si no se puede convertir en hechos prácticos resulta de poco valor.

Probablemente el impacto mayor que recibe una persona que está en la edad que estamos considerando es observar el desarrollo completo del otro sexo e interesarse en él.

En estos días los niños aprenden muy temprano que lo opuesto atrae. La televisión y otros medios de difusión tienen mucho que ver con esto. Pero durante muchos años ellos son solamente *observadores* y no *practicantes* de las cosas que ven. Sólo cuando llegan a la adolescencia juntan las dos cosas.

No hay duda de que este impacto resulta algo muy emocionante para ellos. Se puede definir como un viaje a un mundo de fantasía.

Estoy muy de acuerdo en que el súbito despertamiento que ocurre al llegar a la pubertad puede ser un acontecimiento inolvidable y muy feliz. En algunos jóvenes esto ocurre a muy temprana edad. Para otros llega unos años más tarde. No parece haber una edad específica para el surgimiento del interés en el sexo opuesto.

¿Pero no cree usted que muchas de esas relaciones amistosas que empiezan a muy temprana edad realmente no paran en nada, y

en muchos casos, los que las tienen ni se dan cuenta de lo que realmente las mismas significan?

Así es. Sin embargo tienen su valor, ya que preparan el camino, por decirlo así, para una relación más madura en el futuro. Estas sencillas amistades, a cualquier edad, son parte de una estructura general en desarrollo.

El solo acto de conversar con el sexo opuesto ya tiene su importancia. Produce una comunicación mutua. Como todos sabemos muy bien, a numerosos muchachos que están en su desarrollo les cuesta comunicarse aun con su propio sexo, y con mucha más razón les resulta difícil hacer lo mismo con el sexo opuesto. Por lo tanto el comunicarse desde temprana edad les facilitará una mejor transición a una normal comunicación en los años futuros.

Las citas entre jóvenes y señoritas

¿Cuál es su opinión sobre las salidas de jóvenes y señoritas solos?

Esta es una pregunta muy importante. Creo que cada persona tiene su propia opinión sobre este asunto.

En primer lugar, ¿qué se quiere significar por esto? ¿Que el muchacho ha de sentarse junto en el ómnibus con su compañera de clases al regresar a casa? ¿Que se tomarán las manos en una reunión social de la iglesia y después acompañará él a la muchacha hasta la puerta de su casa? ¿Que irán los dos solos a la playa en los fines de semana y pasarán un día divirtiéndose, para regresar al hogar por la noche? ¿O significará algo más serio? Por ejemplo, pasar una noche juntos, fuera de la casa y tener relaciones íntimas o bien estacionarse en un lugar aislado y pasar unas cuantas horas haciéndose caricias íntimas.

Pareciera como si usted estuviera haciendo todas las preguntas de una vez. Así que sigamos adelante. Son preguntas muy reales. Quiero que me las conteste.

Yo temía que fuera a decir eso mismo.

Para mí, el significado de salir juntos incluye todas estas cosas. Más específicamente, se trata de una relación de amistad entre un muchacho y una muchacha. El la lleva a cierto lugar. En esencia es un acuerdo especial entre dos personas que han llegado a cierto nivel de atracción. Puede ser en un plano sencillo. Puede ser en un plano más complicado.

Generalmente empieza en el primer plano que mencionamos; pero, dependiendo de lo que ocurra y cómo madura la amistad, puede ser que gradual o rápidamente evolucione hacia una relación personal más profunda.

Salir juntos es una situación perfectamente normal que ocurre entre las parejas.

Por supuesto, la finalidad de estas salidas debiera ser una sola.

Definitivamente. El salir juntos es solamente el preludio de la selección final de un compañero para toda la vida. Es una etapa en la vida de cada joven, y por cierto una muy importante. De esta forma adquieren experiencia en muchos aspectos de la vida. Llegan a conocer otras personas, sus reacciones, los diferentes tipos de personalidad que existen, y así empiezan a entender y a comprender los patrones básicos de los distintos caracteres.

A través de estas salidas aprenden a conocerse de una manera más profunda. Creo que el conocimiento que se adquiere casi en forma subconsciente durante los años en que se practican estas salidas es de extraordinaria importancia para la formación final de un patrón de vida.

La mayoría de los que siguen esta práctica llegan a salir con muchas personas durante su vida. Esto es muy importante. Da al subconsciente gran cantidad de información que luego es almacenada en el banco de la memoria, con lo que aumenta considerablemente la habilidad de la persona para tratar con los seres humanos en la vida.

Dice usted que esto aumenta la experiencia de jóvenes y adolescentes.

Precisamente. Para que un ser humano pueda tener los correctos puntos de comparación en la vida, deben pasar algunos años. La mayoría de las cosas son relativas en este mundo.

Aunque algo pueda parecer bien a primera vista, no siempre se confirma que es tan bueno cuando lo comparamos analíticamente con otras cosas parecidas. Pero a menos que experimentemos propiamente ciertas cosas para compararlas con otras, ¿cómo podremos sacar una conclusión satisfactoria y razonable?

Esto es exactamente lo que la experiencia y el tiempo dan por resultado: normas de comparación. Y todo eso se logra en los años cuando los jóvenes y las señoritas hacen esas salidas de las cuales hemos venido hablando.

Pareciera que usted está aconsejando que las personas tengan un buen número de esas salidas antes de hacer alguna decisión en cuanto al matrimonio.

Yo creo que un buen número de salidas de esta naturaleza, y posiblemente con diferentes personas, es la mejor manera para que un muchacho y una muchacha se conozcan bien. Cuanto más experiencia adquieran las personas interesadas en adquirirla, teóricamente mejor capacitadas estarán para hacer una selección juiciosa cuando haya que decidir en lo que se refiere al asunto del matrimonio.

¿Cree usted que ese razonamiento resistiría un análisis crítico?

No estoy muy seguro, pero me parece que sí, aunque hay muchísimas variantes en esto. Después de todo, pudiéramos señalar a cualquiera de una docena de parejas cuyo noviazgo los incluyó solamente a ellos y a nadie más, y fueron muy felices.

Por otra parte, podría mencionar un gran número de personas que en su juventud salieron con muchos jóvenes o señoritas diferentes, adquirieron la gran experiencia de que hemos hablado aquí y, sin embargo, a poco tiempo de estar casados ya su matrimonio había fracasado.

Todo esto indica que no hay reglas fijas que seguir en el noviazgo para tener un matrimonio feliz. Yo solamente sugiero que conviene tener numerosos amigos y amigas durante estos alegres y felices días de la juventud.

Muchos amigos, muchas salidas solos, muchas salidas en grupos, todo esto es parte de la rutina del compañerismo. Mientras más actividad general, mientras más experiencias se tenga con el prójimo, mejor preparados estarán los jóvenes para hacer la decisión final en la selección de la muchacha que habrá de convertirse en su esposa. Este es el punto básico que yo quiero sostener. Habrá excepciones, por supuesto. Pero estamos tratando de hablar en términos generales acerca de los asuntos que más afectan a la mayoría de las personas.

Principios básicos

¿Cuáles son los principios fundamentales que debieran regir las salidas?

En este mundo en que la juventud cada día se torna más sofisticada a una edad temprana —particularmente cuando cada vez más las muchachas maduran también muy temprano—, las salidas empiezan prematuramente.

Pero veamos cómo pueden comenzar acertadamente las salidas. Se comienza con intercambios muy sencillos. Probablemente puede ser un encuentro después de clases, o simplemente un incidente del día. Lo más probable es que al principio todo se haga bastante torpemente, dependiendo del carácter de los muchachos.

Como regla general, los que proceden de familias en que solamente hay varones que han tenido poca relación con niñas, el comienzo de estas salidas les resulta bastante difícil. Pero esto es algo generalmente transitorio y no tiene gran importancia. Con un éxito inicial y con la experiencia que se adquiere luego, el problema desaparece muy pronto. Conviene mencionar esto en beneficio de los jóvenes que piensan que son anormales porque no tienen mucho éxito con las chicas, en comparación con sus amigos, que se desenvuelven tan naturalmente con las muchachas, mientras ellos no tienen ni siquiera el valor para hacer la primera tentativa.

¿Cree usted que las escuelas coeducacionales son beneficiosas para las relaciones amistosas entre muchachos y muchachas?

Definitivamente. No hay duda de que esto resulta uno de los elementos más importantes para colocar a todos en un nivel social igual. Es algo que propicia la amistad entre ambos sexos y ayuda a resolver a tiempo una serie de problemas que al fin y al cabo son comunes. Los jóvenes de ambos sexos se mezclan entre sí automáticamente. Se sienten impulsados a asociarse unos con otros. Aprenden a comunicarse amistosamente con los demás sin colocarse en situaciones comprometedoras. Tal vez ello quita un poquito esa aura dorada del sexo opuesto, pero esto no es realmente importante. Siempre queda mucho en reserva.

Un poco de éxito al comienzo siempre resulta muy estimulante. Aun el adolescente inseguro de sí mismo, aunque al principio se muestre vacilante y un poco torpe, no obstante pronto adquirirá experiencia y seguridad en su relación con el sexo opuesto. Nada produce tanto éxito como el éxito mismo. Y las relaciones amistosas entre muchachos y muchachas no son la excepción.

¿Y qué podría decir en cuanto al aspecto físico de las citas?

Podemos decir que la atracción física se produce desde el mismo comienzo. Como hemos discutido en capítulos anteriores, ésta es una edad cuando se producen grandes cambios en ambos sexos. Las hormonas se producen a una gran velocidad, y las características de mayor madurez empiezan también a manifestarse gradualmente como una visión mental más madura.

Instintivamente surge un tremendo interés en el sexo opuesto. Se produce una atracción involuntaria que resulta irresistible. La antipatía por el sexo opuesto que se manifestaba en la niñez hasta los doce años de edad, súbitamente es sustituida por el despertamiento de nuevos intereses.

Lo que empieza sólo como una comunicación mental pronto se traduce en una experiencia física. Súbitamente se despierta una sensación de placer en el contacto de los cuerpos. Algunas acciones sencillas, como retener la mano, se tratan de practicar más frecuentemente a medida que aumentan los deseos. El contacto físico intensificado produce una reacción del sistema nervioso sensorial. En fin, el tocarse resulta entonces una experiencia agradable.

Las presiones psicológicas de las citas

Finalmente, ¿en qué termina todo esto?

Sin duda alguna hay muy pocas posibilidades de contener las presiones emocionales del contacto físico una vez que se han desencadenado. Cuanto más se relacionan dos personas, más grande llega a ser el deseo de estar juntos, tanto en lo físico como en lo mental.

En este punto los problemas empiezan a multiplicarse.

También es cierto. A medida que avanzan las relaciones, se van haciendo más complicadas. Cuanto más se tiene, tanto más se desea. El proceso en desarrollo hace que la persona quiera ser deseada, ser amada, ser poseída. Sin darse cuenta, las personas van pasando gradualmente de demostraciones muy sencillas a otras más significativas. El acto sencillo de retener la mano empieza a perder su encanto. Un grado mayor de contacto personal provee también un mayor grado de atracción.

Así empieza el período de caricias e intimidades. Las caricias sencillas, a menos que se las controle debidamente, conducirán inevitablemente a caricias más atrevidas. Y para llegar a ser expertos en esto no hace falta ningún libro de texto. Todo ocurre en forma casual, natural y automática.

¿Y por qué no señalar claramente lo que puede ocurrir?

Todo el organismo está provisto de una intrincada red de nervios. Ciertas regiones del cuerpo tienen más nervios que otras, por lo que responden mejor a determinados estímulos.

Es sabido que en la mujer hay algunas partes del cuerpo que son extremadamente sensitivas al contacto. Los pezones de los senos y las zonas que los rodean, así como el seno en general, son extremadamente sensitivos al tacto. Igualmente lo es la región abdominal. El grado de sensitividad va aumentando a medida que las caricias se acercan a la zona pélvica.

Otras partes del cuerpo son también muy receptivas. Las caricias en la espalda, en las orejas y en la parte baja del cuello, producen reacciones eróticas en muchas mujeres. Los labios, en momentos de intensa emoción, son también supersensitivos, tal como lo descubren muchas jóvenes a edad muy temprana.

Caricias atrevidas

Ahora volvamos al asunto de las caricias más íntimas.

El sencillo contacto físico muy a menudo despierta el deseo de hacer caricias más íntimas. Así es que de pronto las manos se encuentran explorando automáticamente el cuerpo en dirección a la zona pélvica. Las caricias suaves producen reacciones fuertes en ambas partes.

En el varón, la reacción a estas acciones de su parte, produce gran sensualidad. Por otro lado, la mujer reacciona también con intensos deseos sexuales al recibir las caricias de su compañero. Todo esto produce un sentimiento muy placentero al saberse deseado. (¿Y qué mujer no ansía ser deseada por alguien?)

Las caricias íntimas son el más rápido método que se conoce para producir una excitación que conduce al deseo de practicar el acto sexual, lo que es algo difícil de resistir.

De hecho, muchos psicólogos sostienen la opinión de que una vez que se llega a cierto punto, entonces se hace imposible detener la sucesión de reacciones que se producen y que inexorablemente culminan en la realización del deseo supremo, el cual se satisface únicamente en la unión sexual.

Si usted es uno de los que opinan que son capaces de resistir la tentación después de una serie de caricias íntimas, olvídese de eso ahora mismo. ¡Usted no puede! Porque es humano igual que cualquier otro.

Entonces, ¿qué consejo puede dar?

Me parece que el asunto es bastante claro. La estimulación sexual es una actividad que corresponde únicamente al matrimonio. ¿Por qué arruinar los placeres de una vida matrimonial feliz, con su compañero o compañera, por ceder a un momento transitorio de pasión emocional ilícita, con la serie de problemas que esto causa?

El acto sexual es algo que ha sido reservado para el matrimonio. ¿Por qué lo arruinaríamos de antemano? ¿Por qué reducir las posibilidades de tener un matrimonio feliz y de éxito cediendo al egoísmo de satisfacerse sexualmente de manera irresponsable?

Sin duda que usted finalmente deseará casarse. ¿Desea usted casarse con una mujer virgen? ¿O bien con una joven con experiencia sexual?

No hay duda de que usted prefiere lo primero. Si es así, ¿entonces qué promete usted ofrecerle a ella a cambio de eso? ¿Acaso un producto de segunda mano que ha tenido numerosas experiencias sexuales previas? ¿O, por el contrario, un hombre que se ha reservado a sí mismo para la mujer de su elección pensando y preparándose para el disfrute de la pura y verdadera felicidad en la noche nupcial?

Embarazos no deseados

Se dice que las relaciones sexuales antes del matrimonio producen toda clase de problemas. ¿Podría comentar acerca de esta declaración?

Por supuesto. Probablemente el problema más grave es la posibilidad que hay de tener un embarazo que no se desea. Es verdad que resulta fácil conseguir la píldora y otros medios contraceptivos. Pero muy a menudo la muchacha no se ha preparado de antemano para tener relaciones sexuales, lo que la convierte en candidata a quedar embarazada. Por otra parte, numerosas jóvenes solteras toman la píldora regularmente, y mantienen relaciones sexuales promiscuas, lo que consideran muy entretenido. Se jactan de practicar el "amor libre". Sin embargo, con el paso de no muchos años descubren lo equivocadas que estaban. Cargadas de remordimiento y frustración, quisieran no haberlo hecho. Los varones que las indujeron al acto sexual, también debieran participar de la misma culpa y frustración. Conviene saber, y vale la pena recordarlo muy bien, que a partir de la pubertad, tanto el muchacho como la muchacha ya están capacitados para el proceso de la reproducción.

Las posibilidades de embarazo desde los 15 y 16 años en adelante son extremadamente altas. Todo el sistema reproductor ya está preparado para ello. Se torna extremadamente receptivo, y fisiológicamente está en las condiciones óptimas. En mis archivos hay una gran cantidad de problemas de esta naturaleza. Muchas parejas parecen creer que para que se produzca el embarazo hay que realizar una completa penetración en el acto sexual.

Permítanme decirles que un pequeño grado de penetración es suficiente para que una mujer quede embarazada. Piense en esos millones de espermatozoides que inundan la zona vaginal, y recuerde que sólo uno que viaje y se encuentre con el óvulo femenino puede producir el embarazo. Así que las posibilidades están realmente contra usted.

Y por supuesto, añada esto: las mujeres responden mejor a los juegos sexuales y a la excitación física durante el tiempo de la ovulación. Esta es la época cuando el óvulo microscópico o huevo es expulsado del ovario. En esos días el sistema hormonal está listo para reaccionar de una manera muy rápida. Por eso es más posible que el embarazo se produzca en esta época que cuando el acto sexual se realiza en cualquiera otra parte del ciclo menstrual.

Otros problemas

Aparte del embarazo, ¿qué otros peligros hay?

Se ha comprobado que las personas dadas a la práctica frecuente de actos sexuales con diferentes compañeros o compañeras, antes y después del matrimonio, son las que suelen padecer más de enfermedades venéreas.

El problema de las enfermedades venéreas ha vuelto a ser uno de los mayores de nuestra sociedad. Debido a esto, estamos dedicando capítulo especial a este tema específico para alertar a nuestros lectores varones en cuanto a las graves complicaciones producidas por dichas enfermedades.

Tal vez alguien dirá que no tiene relaciones sexuales con su amiga. Que tan sólo se trata de una amistad sana y sincera, y que se sienten bien estando juntos. Eso está bien; ¿pero quién sabe lo que ocurrirá en el futuro? Lo que hoy parece muy bien, puede no parecer igual mañana, o la semana que viene o el próximo año. Sobre todo cuando la actitud mental de las parejas jóvenes cambia tanto.

Las parejas que ahora se atraen, pueden perder esa atracción cuando pasen uno o dos años. La educación, el trabajo, las presiones exteriores, la madurez mental, su propia experiencia, todo esto puede hacer cambiar radicalmente sus puntos de vista. Por lo tanto, el compañero o compañera de esta noche con quien se ha tenido una serie de caricias apasionadas puede ser dentro de algunos meses el compañero o la compañera de otro. Al menos, por supuesto, que hayan decidido en su corazón que serán el uno para el otro, y lo demuestren uniéndose legalmente en matrimonio. Puedo asegurar que ésta es la única garantía que vale.

Una vez que alguien contrae una enfermedad venérea, tendrá que afrontar algo más que una sencilla infección. Puede demorar semanas, y a veces meses, para poder curarse. Y aun así siempre queda el gran temor de que alguna lesión permanezca en el cuerpo que pueda afectar la normalidad de la vida y la felicidad. En realidad, no es algo mentalmente saludable ni nada de lo que uno pueda enorgullecerse.

Reacciones psicológicas

¿Qué puede decir en cuanto a las reacciones psicológicas?

No hay duda de que las relaciones sexuales antes del matrimonio afectan al individuo mentalmente. Pero la persona que sufre más en todo esto es la mujer. Generalmente, el varón es la parte agresiva, y la mujer la parte pasiva. El papel del hombre debiera ser proteger a su compañera y no tomar ventajas abusivas cada vez que se le presenta una oportunidad. Debiera protegerla, no sólo física sino, además, mentalmente. Las mujeres generalmente tienen una tendencia a experimentar un grado mayor de culpabilidad que el hombre cuando participan en relaciones sexuales fuera del matrimonio. Esto generalmente les produce grandes tensiones emocionales y depresiones. La tensión, la ansiedad, la depresión, todas éstas son reacciones que generalmente sobrevienen.

Ciertamente esto puede durar muchos años y afectar seriamente una parte considerable de la vida. Puede traer como consecuencia infelicidad e inquietud constantes. Aunque finalmente se casen, muchas jóvenes mantienen esos recuerdos de sus días de solteras como algo que las avergüenza y que queda allí como una mancha negra en una libreta de apuntes.

Y éstas no son expresiones sin sentido. Es la forma en que se expresan muchas mujeres mayores cuando vienen a hablarme de los problemas que han tenido en su vida.

¿Cree usted que las relaciones sexuales premaritales pudieran afectar la realización de un matrimonio feliz más tarde?

De acuerdo con muchas personas que me escriben, la respuesta es sí. Para mí es muy común recibir constantemente cartas muy delicadas de parte de algunas mujeres. Los temas que me presentan son más o menos éstos:

"Antes de casarme, Jaime y yo tuvimos relaciones sexuales. Las teníamos varias veces en la semana y disfrutábamos plenamente. Pero después nos casamos, y entonces las cosas se echaron a perder.

"Poco tiempo después empezaron a enfriarse nuestras relaciones. Las relaciones sexuales ya no nos producían tanto placer. En vez de ser algo deseable e importante, poco a poco fueron perdiendo sentido para nosotros. Yo, pocas veces encontraba satisfacción. Jaime también empezó a perder el interés.

"Al perder nosotros interés en esta parte de nuestras relaciones, empezamos a encontrarnos faltas el uno al otro. Primeramente eran faltas pequeñas. Pero poco a poco la cosa fue agravándose. Aumentaron las tensiones y las discusiones. La vida se tornó desagradable y difícil".

Esta es una carta típica escrita por una mujer que había creído que las relaciones sexuales premaritales constituían una genuina demostración de amor.

¿Cuál es el resultado de este tipo de problema?

Los resultados varían grandemente. Algunos se esfuerzan y tratan de resolver el problema por sí mismos. Otros buscan orientación consultando a consejeros matrimoniales y ministros religiosos, o aun a su médico personal. Algunas parejas llegan a creer que ni eso vale la pena, y se separan provisionalmente o a veces en forma definitiva. Algunas de éstas acuden a las cortes para divorciarse y ponerle punto final a su vida matrimonial.

Destacando los verdaderos valores

En este asunto, la pregunta obvia es: ¿Cree usted realmente que las relaciones sexuales premaritales fueron las causantes de la ruptura de ese matrimonio? ¿O fue el hecho de que las relaciones se basaron principalmente en la atracción física? Después de cierto tiempo, al darse cuenta de la incompatibilidad de caracteres y de intereses, se hizo evidente que el matrimonio estaba condenado a fracasar desde el principio.

Esta es una pregunta difícil de contestar. Posiblemente no haya una respuesta definitiva. Pero por lo menos es algo completamente claro que cualquier matrimonio que se haya realizado solamente en base a la pasión y a la atracción física, sin la intervención del amor verdadero, está destinado a fracasar aún antes de que se seque la tinta del certificado matrimonial.

Pero yo estoy razonablemente seguro de que muchas parejas que han probado el sexo en toda su intensidad antes del matrimonio, generalmente se apresuran a casarse más rápidamente que otras parejas que estén pensando en tener esa experiencia de identificación física y mental después del matrimonio. Me parece que es un asunto de saber apreciar debidamente los verdaderos valores. Hay que fijarse un blanco. Hay que tratar de pensar en las cualidades que se espera encontrar en la joven que eventualmente habrá de ser la esposa. Para asegurarse bien, escríbalas. Después de eso revíselas frecuentemente con mucho cuidado.

Luego, para ser justo, ¿por qué no escribe además una lista de las cualidades y atributos que una muchacha como ella merece que tenga su compañero? Cuando la haya terminado, la misma será algo así como un retrato en palabras de la clase de persona que usted quisiera ser. Y si no puede reunir esas cualidades, entonces no es merecedor de la muchacha que pretende como esposa.

Esto se puede lograr. Trate de alcanzar ese blanco y verá que día a día se irá acercando a él. Me imagino que una de las cualidades que habrá incluido en su lista es que la joven que usted desea como novia no tenga relaciones sexuales con otros jóvenes.

Y por otra parte, ella tampoco estará buscando a un joven como usted, si es que favorece las relaciones sexuales premaritales.

¿Cree usted que tomando en cuenta esos puntos se podría esperar razonablemente tener un matrimonio duradero?

Así lo creo. Esta es la forma más efectiva para lograrlo. Por supuesto que se pueden hacer algunos cambios, añadir algo, y hasta posiblemente suprimir algunas cosas. Pero estoy seguro de que estos conceptos serían una base sólida para poder llegar a tener un matrimonio feliz.

En una sociedad permisiva como la nuestra, parece que cada día se está aceptando más la costumbre de tener relaciones sexuales antes del matrimonio, o de vivir juntos, y otras prácticas que antes no eran aceptadas.

El hecho de que la mayoría de la gente lleve a cabo ciertas prácticas no las convierte en legítimas y morales.

Seamos francos. El código moral básico de nuestra sociedad todavía se mantiene firme, y la mayor parte de la gente sigue creyendo que las relaciones sexuales son algo que corresponde únicamente al matrimonio.

Ya sea que tengamos una religión o no, tendremos que reconocer el hecho de que las leyes civiles son la aplicación de los principios morales dados por Dios, y practicados y obedecidos por hombres y mujeres durante milenios. Estas leyes son de origen espiritual y no pueden estar sujetas a los caprichos de la moda. Por lo tanto, hay una razón muy buena para respaldar y practicar nuestras normas morales.

8

El matrimonio: un plan no superado

En el capítulo anterior dijimos que el tiempo adecuado para disfrutar plenamente de los placeres de la relación sexual es durante el matrimonio.

De acuerdo. El sexo tiene un doble propósito. El primero y muy evidente es el hecho de formar parte del sistema de reproducción. Sin él la raza humana desaparecería.

Pero el segundo propósito es también de extraordinaria importancia. Representa la plena expresión de amor entre dos personas. Pero además, proporciona otros beneficios. Es sin duda uno de los mejores calmantes que existen. Quita la ansiedad y la tensión, y calma los nervios. Es un sedativo de superior calidad y es también un magnífico reconstituyente.

Es un excelente juez ante las imperfecciones humanas. No hay nada mejor para resolver disputas. Ambas partes terminan tonificadas, interiormente complacidas, y físicamente satisfechas.

Es muy bueno para las personas de mal carácter, para los espíritus afligidos, y para los nervios agotados que tanto abundan en esta vida moderna tan agitada.

¡Esto suena como el anuncio de una nueva píldora mágica!

De acuerdo. ¿Pero acaso ignora que las mejores medicinas proceden de la naturaleza y que todas son gratis?

La palabra "mágica" que ha usado es algo que está muy cerca de la verdad. Los beneficios y ventajas que se reciben de un matrimonio bien llevado son innumerables. Cuando uno analiza el impacto del sexo sobre la vida, durante un período de varios años, se va convenciendo más y más de que realmente es algo muy importante. Algo que debe ser reservado para un período especial de la vida, cuando ya dos personas están permanentemente unidas.

Sólo entonces se aprecia el verdadero valor de las relaciones íntimas.

Aquí encontramos otro punto a favor de reservar las relaciones sexuales para después que se ha firmado, se ha sellado y se ha recibido el certificado de matrimonio. Los placeres transitorios que se experimentan en forma ocasional antes del matrimonio no tienen ningún beneficio de valor duradero. Es más bien el amor cálido y el sentido de pertenencia que se desarrolla durante algunos años lo que profundiza y da significado a la actividad sexual marital.

Aun dentro del matrimonio

Pero yo he oído hablar varias veces acerca de matrimonios que fracasan a pesar de que sus integrantes tratan de poner en práctica los principios que usted ha presentado en las páginas anteriores.

No podría negarlo. Pero debo recalcar que el amor y la unidad familiar son algo más que una acción mecánica. Cuando se deterioran (y debo admitir que eso ocurre a menudo), empiezan a aparecer grietas en la unidad del matrimonio. Las señales rojas de aviso de que algo anda mal se multiplican. Es entonces cuando la pareja debe investigar dónde está la causa del deterioro de su matrimonio.

¿No es verdad que muchas personas que se casan piensan que son expertas en las cosas del amor desde el momento mismo que inician la vida matrimonial? Usted recordará ese antiguo cuento de hadas que termina así: "Y el príncipe y la princesa se casaron y vivieron muy felices". ¿No cree que hay muchas personas que entran al matrimonio con esta misma idea clavada en sus mentes?

Así es. A pesar de que posiblemente los cónyuges han estudiado por muchos años para adquirir una profesión y para aprender algún oficio —y sin duda que tuvieron que estudiar fuerte para perfeccionarse—, muy pocos, sin embargo, se dan cuenta de que el matrimonio es también algo muy importante, y que debe hacerse la debida preparación para el mismo y con el mayor esfuerzo.

Lamentablemente, no existe una escuela de noviazgo. No hay un lugar adonde asistir para tomar un curso formal de los fundamentos del matrimonio de éxito, en donde se puedan conocer las dificultades y los problemas que motivan la ruptura de los matrimonios, y en donde se entrenen personas para que afronten con éxito estos inconvenientes. Tal vez estas escuelas se organicen en el futuro, aunque lo dudo.

Algunos matrimonios consultan sus problemas con un amigo de experiencia en quien confían, con un ministro, o con su propio médico de familia si es que éste es un médico de los que discuten estos problemas en detalle con sus clientes.

Al menos así pueden tener alguna orientación en cuanto a las dificultades que los afligen. Pero éstos son los menos, lamentablemente. Diría yo que sólo una pareja en veinte suele seguir esta práctica.

Consejos prematrimoniales

¿Cree usted que es una buena idea que las personas que se van a casar adquieran un libro de consejos sobre el matrimonio y que lo estudien?

Por supuesto que esto ayuda. Todo curso de algún valor tiene siempre sus propios libros de texto. El curso matrimonial es el único curso de importancia vital que no ha establecido sistema de clases ni una lista de libros de texto. En los años pasados algunos escritores han producido libros muy buenos que proveen consejos muy eficaces para los que desean casarse. En esos libros se habla con bastante profundidad de los aspectos más importantes del matrimonio.

Sin embargo, algunos son muy complicados y me parece que resultan un poco cansadores y difíciles para el lector promedio. Pero otros no son tan complicados; al contrario, son fáciles de leer y tratan una serie de temas de verdadera utilidad.

Generalmente sugiero a los jóvenes que buscan consejos sobre asuntos matrimoniales, que compren uno de estos libros y los lean con cuidado. Pero siempre les sugiero finalmente: "Y cuando termine de leer el libro, póngalo a un lado y deje que la naturaleza siga su curso".

He encontrado que con un conocimiento básico de los asuntos matrimoniales, más el propio instinto guiado por la voluntad de Dios, cualquier pareja puede llegar a formar un matrimonio feliz.

El lado íntimo

En los capítulos anteriores hemos hablado de la anatomía y la fisiología del hombre y de la mujer. Hemos discutido los centros químicos del cuerpo en donde se producen las hormonas, y hemos aprendido algo en cuanto a su funcionamiento y sus enormes capacidades. Además, hemos advertido de los peligros de las relaciones sexuales premaritales. Sin embargo, seamos un poco más explícitos. A pesar de que algunos lectores probablemente conocen bastante en cuanto a la parte íntima del sexo, ¿por qué no entramos en esto con más detalles? Después de todo, como usted ha dicho, esto es de importancia fundamental en las relaciones amorosas de los jóvenes.

Esta es una sugerencia muy buena. El sistema reproductor funciona en combinación con la unión física. Y todo se produce tan fácilmente que no requiere ningún esfuerzo. Todo está diseñado para que funcione en una forma natural, automática, y con tanta facilidad y eficiencia que la más moderna maquinaria parecería insignificante al lado de ella.

En el último capítulo hablamos en detalle acerca del popular pasatiempo de las caricias en las parejas jóvenes. A pesar de que no aprobamos las caricias extremas o muy íntimas como una práctica normal durante el noviazgo, sin embargo, después del matrimonio la situación cambia radicalmente. Ese es el momento para el cual debe reservarse ese tipo de caricias.

Pero una vez que el documento matrimonial está debidamente firmado, muchas parejas se lanzan a una serie de expresiones amorosas tan desenfrenadas, que genera unos cuantos problemas de otra naturaleza. Se cede a los impulsos por la emoción del nuevo estado de vida y muchas veces se llega a practicar estas cosas con tanto egoísmo que se arruina completamente lo que debiera haber sido una experiencia feliz.

En pocas palabras, ¿usted quiere decir que el cortejamiento de parte del hombre hacia la mujer en cierta forma debe seguir aún después del matrimonio?

Precisamente. Ya hemos descrito lo que se conoce como zonas eróticas del cuerpo femenino. Los pezones y otras partes de los senos, las zonas púbicas, las partes interiores de los muslos, las zonas de la vulva, y sobre todo el clítoris, que es extremadamente sensible al toque delicado.

Todo esposo comprensivo y razonable debe estar consciente de estas cosas. Por lo tanto, antes de que una pareja se entregue a la gratificación sexual, el esposo debe hacer todo lo posible para que su esposa comparta los mismos placeres que él desea disfrutar.

La excitación delicada de estas zonas logrará que en la mujer brote el deseo, y así sigue el proceso muy agradablemente y en forma natural. Esto hará que el acto final tenga un profundo significado y sirva para afirmar más la unión amorosa de los cónyuges.

Siempre digo a los esposos que el tiempo que dediquen a sus relaciones sexuales nunca es perdido. Los resultados son de profundo valor y muy duraderos. Le imparte a la esposa el sentimiento de ser deseada, de que ella es parte integrante de la vida de su esposo; y todo esto se logra cuando el esposo está dispuesto a satisfacer las íntimas necesidades de su compañera así como las propias.

¿Se podría decir que esto es una actividad que consume mucho tiempo?

Esto varía de acuerdo con cada persona. Algunas mujeres reaccionan en forma instintiva e inmediata. Otras toman más tiempo. Puede variar de cinco minutos a media hora o aún más. No existen en este asunto reglas fijas.

¿Cuáles serían las indicaciones que señalarían que se ha logrado o que se está logrando éxito en esta actividad sexual?

Aparte de las expresiones evidentes de satisfacción, las pequeñas glándulas a la entrada de la vagina (llamadas glándulas de Bartholin), entran en actividad y producen un fluido lubricante que impregna la entrada de la vagina y todo el canal. Ciertamente cuando esto ocurre ello viene a ser como la contraparte de la erección en el pene del hombre.

Es en este momento cuando la esposa da a entender que está en una actitud receptiva. Sus muslos tienden a abrirse, muy a menudo ella ayuda a su esposo a dirigir el pene hacia la entrada de la vagina. Entonces con tan sólo una suave presión hacia arriba y hacia adentro el pene entra sin dificultad en el canal vaginal, que en ese momento está totalmente lubricado.

Cuando el pene se ha introducido en su totalidad, casi automáticamente se sale un poquito otra vez y entonces empieza un movimiento rítmico de entrada y salida.

Esta acción continúa. Durante todo este proceso la esposa coopera con los movimientos que hace su esposo muy a menudo empujando hacia adelante y hacia atrás al mismo ritmo de las entradas y salidas de su compañero.

Durante este tiempo las glándulas continúan produciendo constantemente el fluido lubricante. El glande del extremo del pene, que es su parte más sensitiva, va frotando constantemente las paredes corrugadas de la vagina. De esta forma se va aumentando más y más la excitación hasta que culmina en el orgasmo.

Cuando esto ocurre, se produce una descarga del fluido seminal desde las vesículas seminales, que es el lugar en donde están almacenadas las células masculinas. Esta sustancia se va deslizando por la uretra, que es un pequeño tubo interno que corre hacia el exterior.

Luego, con una serie de movimientos automáticos sobre los cuales la persona no tiene ningún control, se produce la eyaculación.

En ese momento el pene erecto está ocupando todo el canal vaginal. Así se deposita una gran cantidad de este fluido en la parte alta de la vagina, muy cerca del cuello del útero.

También en ese instante se producen notables reacciones en el hombre. Su cuerpo se torna caliente, enrojecido, sudoroso, y su respiración es corta e intermitente según va saliendo el fluido seminal. Pero cuando se logra este punto culminante, todo el organismo se relaja. El pene rápidamente pierde su erección y se vuelve flácido otra vez.

Algo que resulta muy notable, terminado el acto sexual, es el efecto soporífero que se produce en el individuo. Cuando ha pasado la tensión que se había ido elevando durante el juego amoroso, los cónyuges experimentan una intensa sensación de satisfacción. Muchos hombres sienten en ese momento un intenso deseo de dormir. Y esto es algo magnífico cuando se hace en circunstancias apropiadas, porque resulta un sedativo de la más alta calidad.

El papel de la esposa

¿Tiene la mujer también un punto culminante en su excitación?

La respuesta es sí, aunque algunas mujeres dicen que nunca han experimentado un verdadero orgasmo. Otras, sin embargo, admiten que experimentan una reacción de intensa satisfacción, que invade todo su cuerpo.

A medida que progresa el acto sexual, la esposa pasa por etapas de excitación progresiva acompañada de cambios en la respiración y en los movimientos corporales. Finalmente se produce el orgasmo, tras lo cual le sobreviene una cálida sensación de bienestar y un feliz estado de completa satisfacción.

¿Siempre sucede así en todos los casos?

Esta es una descripción de lo que debiera ser. Pero lamentablemente todo esto está sujeto a influencias externas. Muchos varones en el acto sexual se limitan únicamente a satisfacer sus propias necesidades sexuales, y no se preocupan de comprender ni de satisfacer las de su compañera.

Experimentar completa satisfacción en este acto es tan importante para la mujer como para el hombre. Por supuesto, cuando se logra la excitación pero no se llega a la satisfacción completa, se produce un sentimiento de frustración que invade todo el organismo. Si esto se repite de una manera continuada, entonces se pierde el interés en la relación sexual.

Muchos esposos comprensivos están conscientes de la necesidad que sus compañeras tienen de ser satisfechas. No se olvidan de practicar, antes del acto sexual, lo que se conoce como el juego del amor. Hacen todo lo posible por satisfacer a sus esposas en ese sentido. Y yo creo que ésta es la manera correcta de hacer las cosas para que los matrimonios se mantengan amorosos y unidos por muchos años.

No se puede mantener una práctica en la cual siempre lo mejor resulta ser para el esposo y lo peor para la esposa. Cuando en estos casos se está dispuesto a dar, automáticamente se recibe, también en forma generosa. Es un asunto de reciprocidad. Y así debe ser, y se puede hacer, año tras año, aumentando cada vez más ese interés mutuo en la satisfacción y felicidad del otro. De hecho, esto debe convertirse en un patrón de conducta de las relaciones sexuales en el matrimonio.

Durante muchos años he hablado íntimamente con muchos cónyuges de diferentes edades. Una verdad indiscutible en las relaciones matrimoniales es ésta: en la medida en que los cónyuges se esfuercen en tratar de satisfacer las necesidades y deseos de sus compañeros, se reducen las posibilidades de una ruptura matrimonial. Pero por otra parte, cuando uno trata de olvidar las necesidades y deseos del otro, entonces surgen los problemas.

"Mi matrimonio está yendo cuesta abajo —es una queja que constantemente oigo entre los pacientes que vienen a consultarme—. ¿Qué puedo hacer para salvarlo?''

Muchas veces es la esposa la que se queja, otras veces es el esposo.

Problemas en el matrimonio

¿Qué es lo que usted aconseja en estos casos?

Generalmente trato de conversar con los cónyuges por separado. Procuro descubrir cuál es la raíz del problema. Muy a menudo las causas superficiales de los problemas conyugales son cosas tales como el dinero, el automóvil, los chicos, la casa, el trabajo, los días de fiesta y las vacaciones. Pero generalmente éstas no son nada más que excusas para disimular algo que es más profundo.

Luego hablo con el esposo y la esposa sobre estas cosas. Finalmente, con mucho cuidado les pregunto: ''¿Y cuál consideran ustedes que es el problema más grande en su vida sexual?'' En este punto los cónyuges reaccionan sorprendidos, pero evidentemente muy complacidos de tocar tan delicado punto sin que ellos lo hayan traído a colación. Con frecuencia se descubre que el problema está ahí.

''Mi esposo se preocupa sólo por sí mismo. No le importa si yo siento o no siento. Su único interés es la gratificación propia''.

A veces es el esposo el que se queja diciendo: ''Mi esposa es frígida. No reacciona en ningún momento. Es como si uno estuviera durmiendo con un bloque de hielo o con un pescado helado''. La lista es muy larga, pero las expresiones siempre significan lo mismo.

¿Y cuál es su respuesta a problemas como éstos?

Para comenzar les digo que 90 por ciento de estos problemas tienen solución. Siempre y cuando cada uno renueve su interés en favorecer al otro, hay muchas posibilidades de éxito.

Hay que tratar de revivir los mismos sentimientos que tenían cuando se conocieron por primera vez. (Sin duda cuando se conocieron tenían sentimientos de cariño y comprensión, de otra forma nunca se hubieran unido en matrimonio.)

Así que juntos hablamos sobre los fundamentos del juego del amor. De esta manera poco a poco voy haciendo que recuerden lo que habían olvidado y que de nuevo aprendan a cómo hacerlo. Con aquellos que todavía no saben de este asunto (y hay muchísimas personas que no saben a pesar de ser mayores), discutimos con todo el tacto posible algunos métodos para estimular a su compañero o compañera a fin de que se obtenga el mayor gozo y la mayor satisfacción del acto sexual.

Y generalmente ¿qué resultados se obtienen?

Para los que realmente quieren probar y están de verdad conscientes de sus fracasos en ese sentido, los resultados suelen ser muy buenos. Y realmente lo son. Por supuesto, quienes no tienen interés en resolver el problema, siempre continúan planteando las mismas excusas. Pero hay muchos (particularmente los que tienen hijos) que verdaderamente vienen buscando una solución a sus problemas para mantener el hogar unido y feliz.

En su interior no desean que su matrimonio fracase. Si pueden resolver sus problemas, si logran encontrar un medio para volver a disfrutar del placer y la armonía sexual, están dispuestos a adoptarlo.

Nunca subestime el poder positivo del impulso sexual. Es tan poderoso como la misma voluntad de vivir, como el propósito de triunfar, y como otros impulsos naturales que determinan la supervivencia de la raza humana.

En el caso de los cristianos, creo que las enseñanzas bíblicas como la bondad, el dar y recibir, y otras expresiones de convivencia humana basadas en el amor, se aplican también a esta fase de la vida familiar al igual que a otros aspectos de la vida.

Resumen

¿Cuál sería el resumen final que haría usted de este capítulo para sus lectores?

Yo destacaría los siguientes puntos:

- Las relaciones sexuales íntimas deben dejarse para después que uno se case.
- No arruinar la vida matrimonial de antemano. Ud. tiene por delante un gran número de años por vivir; no los complique con problemas innecesarios.
- Una vida sexual feliz en el matrimonio puede hacer mucho para suavizar los problemas que surjan y las distintas dificultades que se hayan de enfrentar. Realmente necesitará toda la ayuda posible para afrontar esta situación. Consérvela para estos momentos trascendentales de su vida.

• Tenga siempre presente que en la vida la acción de compartir produce muy buenos resultados.

• Evite querer siempre ganar y recibir. La capacidad de dar de una persona es algo de suma importancia.

• Nunca olvide que, mientras más se da, más se recibe. No hay duda en cuanto a esto.

Espero que haya comprendido bien. Confío en que recordará todas estas cosas y tratará de practicarlas.

9

Cómo prepararse para alcanzar el éxito

Hemos dedicado bastante tiempo a presentar los diferentes aspectos del crecimiento, el desarrollo físico y mental, el papel que desempeña el sexo durante esos años y algunos otros problemas relacionados con esto. Ahora vamos a tratar sobre otros importantes aspectos de la vida que surgen en los días de la adolescencia.

Muy buena idea. El crecimiento es tan sólo un aspecto. Durante esta época una persona tiene que decidir y hacer planes para el resto de su vida. Todo no es diversión y juegos, como algunos de nuestros lectores ya saben o lo descubrirán muy pronto.

Todo hombre responsable piensa cómo se va a ganar la vida. Y es muy importante que la mujer también tenga esta misma preocupación.

La educación es un recurso indispensable para obtener una profesión satisfactoria. Cualquier empleo que valga la pena requiere un grado razonable de educación. Actualmente se necesitan grados, diplomas y certificados de especialización para casi todos los empleos disponibles. Y al parecer estos requisitos van a ser cada vez mayores según avanza el tiempo.

Por lo tanto, cada persona debe preocuparse por adquirir una educación apropiada si desea alcanzar un razonable nivel de vida en esta sociedad, ¿no le parece?

Precisamente. Aceptemos o no el actual sistema bajo el cual vivimos, ésta es una de las duras y frías realidades de la vida según la conocemos.

Por lo tanto, guste o no guste, casi todo hombre está destinado a recibir algún tipo de educación o entrenamiento, de los que existen diversos niveles. Está el nivel universitario, el colegio, la escuela

técnica y otras instituciones semejantes. Otro recurso es el trabajar como aprendiz en algún lugar.

Pero de todas maneras, en una u otra cosa, siempre tenemos que prepararnos. Así que prácticamente todo el mundo tiene que pasar por esta experiencia. Por eso, el propósito de este capítulo es ofrecer algunas sugerencias en cuanto a cómo entrar en este sistema con probabilidades de éxito.

Cómo afrontar los problemas del estudio

¿Quiere usted decir que nos va a dar un resumen de "cómo aprobar los exámenes con más facilidad"?

Esencialmente, sí. Pero sólo podemos dar sugerencias. El resto, lo más difícil por supuesto, corresponde al estudiante.

¿Cómo se propone tratar este asunto?

Simplemente lo voy a presentar bajo tres títulos. Los títulos son los siguientes:

1. El ambiente.
2. Los aspectos físicos.
3. La rutina del estudio.

Comenzaremos hablando en primer lugar acerca del ambiente.

1. *El ambiente:*

Consideremos varios aspectos:

a) Cuarto individual.
b) La tranquilidad.
c) La iluminación.
d) La temperatura.
e) La silla.

Este es un gran comienzo. Nada es mejor que tener una buena serie de subtítulos. Noto que empieza con el cuarto individual.

a) *El cuarto individual:*

Es muy conveniente que cada estudiante, por lo menos desde la etapa de su educación secundaria, pueda tener un cuarto para él solo. Me parece que es algo menos que imposible para una persona poder estudiar debidamente cuando hay tantas cosas en su derredor que le distraen la atención. Esto ocurre cuando se tiene que compartir el cuarto con una o más personas.

Estoy consciente de que a veces es imposible tener un cuarto para cada hijo en una casa, sobre todo cuando hay varios en la familia. Pero vale la pena, si se puede. Algunos padres hacen grandes esfuerzos para dar a sus hijos esta ventaja.

A veces se puede dividir un cuarto grande en dos o tres más pequeños, con algunas divisiones provisionales o permanentes. Por supuesto, cuando se trata de una educación de nivel universitario, en que hace falta usar gran cantidad de horas para el estudio y mantener numerosos libros y otros materiales, entonces es necesario que el estudiante tenga un cuarto para él solo.

Es bueno tener esto en mente y hacer todo lo posible por conseguirlo. Creo firmemente que éste es un punto importante para poder llevar a cabo un sistema efectivo de estudio.

Observo que ha colocado la palabra tranquilidad como el segundo punto de la lista.

b) *Tranquilidad:*

El conocimiento se logra a través de varios canales. Por ejemplo, mediante la vista, cuando leemos; y por el oído, al escuchar conferencias o grabaciones, o al repetir en nuestra propia voz lecciones aprendidas. El conocimiento nos llega mediante acciones, cuando hablamos en voz alta tanto a nosotros mismos como a equipos de grabación para reproducir posteriormente lo hablado. También hay imágenes mentales que nosotros componemos en la parte consciente de nuestras mentes.

Cuando nos esforzamos por colocar material informativo en nuestros cerebros, todos los sentidos se sintonizan hacia el mismo propósito. Cuanto más intensos son los ruidos extraños que oímos y las desviaciones del pensamiento que tengamos, tanto mayor será la competencia. Si estamos en medio del ruido producido por radios o televisores, tenemos muy pocas posibilidades de almacenar y fijar en la memoria los conocimientos que deseamos.

Algunas de las cosas que impiden nuestra concentración mental son: las peleas de los niños, los gritos de los bebés, el ruido de los vehículos y las conversaciones en voz alta.

Por supuesto, muchas de estas cosas no se pueden evitar. Por ejemplo, no trasladaríamos nuestra casa del lugar en donde vivimos por estar la misma ubicada junto a una carretera ruidosa. No sería posible reducir el número de niños que se tienen en la familia. Pero si hay alguna posibilidad de encontrar algún método para aminorar el efecto de estos problemas, vale la pena buscarlo activamente y aplicarlo a la situación problemática.

El asunto principal es éste: busquemos tranquilidad. Se puede estudiar mucho mejor en un ambiente de paz. El material que se quiere colocar en el cerebro penetrará más fácilmente y permanecerá allí hasta el momento en que se lo reclame para su uso.

Esta es la razón por la que muchos estudiantes prefieren acostarse temprano y levantarse temprano en la mañana para estudiar antes que la familia empiece con el ruidoso trajín de la casa. Es una medida muy conveniente.

Veo que también usted le da mucha importancia al asunto de la iluminación.

c) *Iluminación:*

Ciertamente así lo hago. A menos que un estudiante tenga la adecuada iluminación en su cuarto de estudio, enfrentará grandes problemas. Realmente la luz del día es la mejor forma de iluminación. La fuente de luz debe quedar ubicada de tal manera, que se produzca una buena iluminación del trabajo que se está haciendo, sin que se proyecten sombras sobre él.

Cuando la fuente de iluminación cae directamente sobre los ojos, esto causa problemas visuales. Si se mantiene esta situación por mucho tiempo, es posible que se experimenten dolores de cabeza, incomodidad y nerviosismo.

Como la mayor parte de los estudios se hacen después de la puesta del sol, hace falta conseguir una luz que se parezca lo más posible a la luz del día, y en este caso la luz fluorescente resulta ideal. Esta luz es casi tan buena como la luz del día. Si no se puede conseguir una luz fluorescente, entonces se puede usar un bombillo de cristal opacado, pero esto resulta un sustituto muy inadecuado. Un bombillo de cristal no opacado es lo último que se debe usar, si no hay otra cosa que escoger.

Proteja sus ojos de la luz directa. Se puede usar una visera en el caso de que se tenga que estar expuesto a una luz que esté mal colocada, sobre todo si se siente que molesta los ojos. Actualmente hay una gran variedad de luces que se pueden conseguir y es muy fácil comprar algo adecuado por un precio muy moderado.

Observo que otro de los puntos importantes para obtener un buen rendimiento en el estudio es la temperatura.

d) *Temperatura:*

Sí. De hecho yo atribuyo una gran importancia al factor de la temperatura. Es innegable que cuando el ambiente tiene una temperatura que produce somnolencia agradable, es más difícil estudiar con eficiencia. Por esta razón, un ambiente con temperatura fresca es el mejor para el estudio eficiente.

Por cierto que esto no siempre es posible. Por lo tanto, hay que aprovechar lo mejor posible la situación en que uno se encuentra, y se debe estudiar no importa cuál sea la temperatura.

Trate de mantener su cuarto más bien fresco. No estoy recomendando precisamente el uso del aire acondicionado, aunque es completamente apropiado.

En los meses de verano mantenga su cuarto bien ventilado. Las casas de ladrillo generalmente son más frías durante la mañana y temprano en la tarde, pero tienden a mantenerse calientes durante gran parte de la noche. Por lo tanto, ésta es una buena razón para acostarse temprano y levantarse también temprano a estudiar.

En el invierno no caliente su cuarto más de la cuenta, para no afectar la eficiencia de sus estudios. Yo soy de las personas que todavía creen que cubrir los pies con una frazada o una alfombra es mejor para lograr el necesario calor que el uso de una estufa o un calentador eléctrico. La mente pareciera trabajar con más eficiencia cuando se la mantiene fría o fresca.

Todos conocemos ese letargo tan intenso que cae sobre las personas en las tardes calurosas, especialmente después del almuerzo. Esto también es desastroso para el estudio.

¿Qué sugiere usted acerca de la silla?

e) *La silla:*

Hace falta una silla adecuada para sentarse a estudiar. Es increíble la curiosa y extraña colección de sillas en que se sientan los estudiantes. No olvide que deberá permanecer sentado por horas y horas en la misma silla. Por lo tanto ésta tiene que ser cómoda. Preferiblemente escoja una que no sea lujosa. Es preferible una silla sencilla, con un respaldo vertical, pero que tenga algún tipo de cojín para lograr algo de comodidad.

Debe tener la altura adecuada a la persona que la va a usar. Debiera ser una silla apropiada para poder pasar en ella varias horas escribiendo y estudiando, así como también para poderse recostar a meditar de vez en cuando.

Se debiera tener, además, un escritorio adecuado. No tiene que ser algo muy elaborado. De hecho, muchos estudiantes lo han fabricado ellos mismos. En él debe haber gavetas de acuerdo a la cantidad y clase de materiales que se necesitan para el estudio.

También hacen falta armarios para los libros. Es muy conveniente tener a la mano todo lo que se necesita, para no tener que salir a buscarlo. Las interrupciones frecuentes disminuyen el rendimiento en el estudio.

Los aspectos físicos

Noto que su segundo título habla acerca del aspecto físico del estudio. ¿Qué cosas incluye esto?

Quisiera enfocar el tema de la siguiente manera:

2. *Los aspectos físicos:*
   a) La salud general.
   b) El régimen alimentario.
   c) El ejercicio.
   d) El sueño.
   e) La higiene.
   f) El ritmo circadiano.
   g) La programación.

Esto incluye una gran cantidad de cosas. Creo que todo esto es muy importante. Vamos a empezar con la salud general.

a) *Salud general:*

Desde el comienzo quiero recalcar la importancia de la salud general. Ningún estudiante puede hacer buen trabajo a menos que tenga una excelente condición física.

Imagine un operario que necesita hacer funcionar eficientemente una máquina que no está debidamente lubricada y que tiene los engranajes sucios y obstruidos. Es indudable que no obtendrá el rendimiento necesario.

En cierto sentido su cuerpo es también una máquina. Si lo atiende y cuida debidamente, puede tener la seguridad de que se conservará en óptimas condiciones y trabajará en forma perfecta. En cambio si descuida su mantenimiento, verá que pronto aparecerán los problemas. No funcionará en la debida forma. Aparecerán dificultades como pérdida de energía y enfermedad.

En las próximas páginas analizaremos algunas recomendaciones importantes que pueden ayudarle a mantenerse en buen estado de salud física y mental.

Diré en primer lugar que el que tiene un problema de salud, alguna incapacidad física o de algún otro tipo, debiera consultar al médico sin demora.

Por ejemplo, es importante que su vista se mantenga en buenas condiciones. Una gran parte de los conocimientos llegan al cerebro mediante la vista. Por eso hay que conservar los ojos en las más perfectas condiciones. Si llega a sospechar que algo está mal con su vista y está afectando su eficiencia, lo más prudente será que inmediatamente consulte a un oculista competente.

Los "errores de refracción" (esto es, errores en el sistema de la lente del ojo, a través del cual la luz llega a la sensitiva retina en la parte posterior del ojo), ocurren muy a menudo en niños y jóvenes. La mayoría de estos defectos se pueden corregir. Generalmente se recomienda el uso de espejuelos o lentes. Haciendo esta corrección se logra mayor eficiencia en el estudio. Cuando no se atienden estos casos, el ojo se debilita y se agota, y se produce dolor de cabeza. El cansancio y la falta de interés en el estudio pueden ser el resultado de una mala vista. Y todo esto resulta en serios obstáculos para un estudio eficiente.

¿Y qué tiene usted que decir acerca del régimen alimentario?

b) *El régimen alimentario:*

Cuando yo era estudiante universitario, el tren en que viajaba a la universidad pasaba frente a una gran pared en un suburbio industrial. En esa pared, en forma ya borrosa, se podían leer las siguientes palabras: "Lo que usted come hoy, es lo que camina y habla mañana".

Puede que usted no se sienta muy afectado por esta expresión, pero realmente hizo una poderosa impresión en mi mente juvenil. Esencialmente, lo que decía era esto: "El alimento es vital para la vida. De hecho, el alimento es usted. Por lo tanto, es muy importante que se preocupe por lo que come cada día".

El régimen alimentario de un estudiante debe contener los elementos necesarios para mantener una buena salud. Esto incluye una proporción adecuada de proteínas, carbohidratos, grasas, vitaminas, minerales, celulosa y líquidos.

Si una persona sigue sus tendencias instintivas tiende a balancear adecuadamente estos alimentos. Sin embargo, en nuestra economía en general hay una gran tendencia a consumir más carbohidratos que los necesarios. Los carbohidratos son alimentos "productores de energía" y muy a menudo son recomendados en los anuncios comerciales. Pero el excederse en el consumo de ellos es perjudicial. No logran quitar el hambre, tienden a producir caries en los dientes y contribuyen al sobrepeso.

Las personas que consumen carbohidratos en exceso están cavando sus tumbas con sus propios dientes. En otras palabras, en ese caso se come para acortar la vida. Por lo tanto, como principio general, deben usarse con cuidado los alimentos que contienen carbohidratos.

¿Podría dar algunos ejemplos de alimentos ricos en carbohidratos?

Básicamente, los alimentos ricos en carbohidratos más comunes son las papas en todas sus formas, tanto hervidas como majadas o fritas; el pan en todas sus formas, tostado, en sandwiches, etc.; los dulces en todas sus formas: chocolates, refrescos, postres y tortas.

Hay otra manera de clasificar los alimentos ricos en carbohidratos que me gusta mencionar. Es la siguiente:

AZUCARES:

1) Los azúcares refinados: de mesa, granulado, pulverizado y el que se usa para confeccionar dulces.

2) Azúcares concentrados: miel, melaza, jarabes, gelatinas, mermeladas, conservas, chocolates, jaleas.

3) Frutas: frutas secas, frutas hervidas con azúcar, frutas frescas como uvas y plátanos.

ALMIDONES:

1) Cereales cocidos: avena, galletas de avena, cereales de trigo, arroz, maíz verde (elotes).

2) Cereales listos para comer: hojuelas o copos de maíz, hojuelas de trigo, etc.

3) Harinas: de trigo, de centeno, de cebada, almidón de maíz, harina de maíz, tapioca y sagú.

4) Alimentos hechos de harina: macarrones, spaghettis, tallarines, panes, budines, tortas y pasteles.

5) Legumbres: guisantes secos y frijoles. También papas y otros tubérculos.

¿Está usted sugiriendo que nuestros lectores se abstengan de esta larga lista de alimentos?

No. Algunas cantidades razonables de almidones son necesarias para la buena salud. Yo quiero recalcar la importancia de estar advertidos del peligro de estos tipos de alimentos que cuando se comen en exceso afectan la salud y hasta a veces obran en detrimento de otros alimentos que usamos.

Cada día vienen adolescentes a mi consultorio, así como también adultos, cuya alimentación diaria consiste en una botella de bebida azucarada, una hamburguesa con papas fritas y nada más. El valor nutritivo de todo esto es muy poco.

Si observamos las comidas que otros comen diariamente se podrá apreciar en ellos también una composición de alimentos no balanceados nutricionalmente y muy recargados en almidones. El estudiante debe tener en su alimentación un adecuado balance de nutrientes que incluya diferentes clases de alimentos.

¿Querría usted sugerir una lista de alimentos que debieran estar en el régimen alimentario de todo estudiante?

Aquí tenemos una excelente orientación. Ha sido preparada por un panel de expertos en nutrición y estoy seguro de que es útil para todo aquel que esté procurando tener y mantener una buena salud.

Incluya estos alimentos en su régimen alimentario de cada día:

- 3 vasos de leche. (Vea la nota al final.)
- 65 gramos de proteína (carnes, pescado, aves, o equivalentes adecuados para personas que prefieren un régimen vegetariano para su alimentación).
- 1 huevo (dos o tres por semana).
- 1 ración de queso o de legumbres.
- 1 ración de cereal integral.
- 3 rebanadas de pan integral.
- 4 porciones de vegetales incluyendo:
  - 1-2 raciones de papas.
  - 1-2 raciones de vegetales verdes o amarillos.
  - 1 ración de otro vegetal.
- 2 raciones de fruta, incluyendo:
  - 1 ración de fruta cítrica (u otra fruta que contenga vitamina C).
  - 1 ración de cualquier fruta.
- 2 cucharadas de mantequilla (o margarina poliinsaturada).
- 6-8 vasos de agua.

(Nota: En general, 1 taza de leche evaporada concentrada equivale a 2 tazas de leche fresca. $^1/_2$ kilo de leche seca equivale a 4,5 litros de leche fresca.)

Actualmente hay muchos estudiantes y personas adultas que

están adoptando el régimen vegetariano. Fundamentalmente, esto elimina el uso de la carne y se concentra en frutas, nueces, vegetales y granos. En este régimen se consumen también alimentos como huevos, leche, queso, granos, legumbres, pero se eliminan totalmente las carnes de todas clases, inclusive pescado.

Muchos atletas que necesitan mantenerse en las mejores condiciones físicas, con mucha frecuencia adoptan también este tipo de régimen alimentario. Como resultado, logran gran éxito en sus actividades deportivas. Vale la pena tomar en cuenta este método de alimentación.

¿Cuáles son sus recomendaciones en cuanto al ejercicio que deben hacer los estudiantes?

c) *Ejercicio:*

El ejercicio diario es indispensable para la buena salud y por esta razón todo estudiante debe incluirlo en su programa de actividades diarias.

En breves palabras, el ejercicio mantiene el sistema muscular ''tonificado''. Con esto se logra que también la sangre circule mejor en el cuerpo, y así todas las distintas partes del cuerpo reciben una buena provisión de oxígeno vital y, además, los nutrientes que son necesarios para mantener el sistema en un perfecto funcionamiento.

El ejercicio ayuda también a la respiración. Mientras más usted respire y más profundamente, más oxígeno recibe su organismo. Al mismo tiempo el proceso de exhalación libra al organismo de muchas impurezas que de otra forma se acumularían, con los consiguientes efectos dañinos. El tipo de ejercicio que se haga probablemente no significa mucho, pero es muy necesario que todo el mundo, especialmente los estudiantes, hagan ejercicios regulares.

Algunos encuentran que el caminar es un ejercicio muy adecuado. Verdaderamente es algo fácil de practicar y no cuesta nada (aparte de un poco de tiempo y de esfuerzo), pero produce excelentes resultados. Otros prefieren algo más fuerte, algo así como correr o trotar regularmente todos los días. Hay otras variaciones como el ciclismo, la natación y deportes acuáticos. Por otra parte, también se puede participar en juegos organizados como fútbol, tenis, baloncesto, y tantos otros juegos en equipo.

No obstante, cualquier estudiante puede escoger el ejercicio

Ciruelas
98c
SPECIAL

que más armonice con su programa personal. Los deportes organizados muchas veces interfieren con el programa de estudios, por lo que resultan imprácticos. Pero los ejercicios más sencillos, tales como los que hemos mencionado antes, se pueden hacer a cualquier hora y son buenos para todos. Todos son excelentes. Lo importante es adoptar algún método y seguirlo fielmente. Si usted practica ejercicios será más eficiente en sus estudios.

El sueño: ¿Qué tiene que decirnos acerca de esto?

d) *El sueño:*

Cada persona tiene su propio y particular punto de vista en cuanto al tiempo que una persona debe dormir. Mi consejo para todo estudiante es: Duerma ocho horas cada noche, todas las noches.

No doy excusas y creo que el sueño regular es indispensable para el estudio eficiente, para poseer una buena memoria y para tener un buen desarrollo mental. A veces no resulta posible dormir las ocho horas cada noche en la semana. Lo mejor que se puede hacer, sin embargo, es tratar de aprovechar una noche aquí y allá para compensar el sueño que se pierde, o por lo menos una vez a la semana tratar de dormir lo más posible. Pero usted no puede pasarse semanas y semanas perdiendo sueño. Si cree que puede hacerlo, está arriesgando su salud general, su capacidad mental y su eficiencia en el trabajo. Su poder de concentración y su capacidad de recordar van a sufrir en gran manera.

Yo sé que muchas personas dicen que Einstein y otros "grandes" del pasado pudieron vivir y alcanzar gran éxito en la vida y en sus actividades con tan sólo dormir cuatro horas cada noche. Si usted cree que está en esa misma categoría, por lo menos no trate de hacer la prueba antes de aprobar los exámenes. Mientras tanto, piense en que probablemente usted es un estudiante promedio, por lo que conviene que actúe como tal. Esto significa que debe dormir ocho horas cada noche o por lo menos lo más cerca de eso.

Durante las horas del sueño, todo el organismo entra en reposo para recuperar las energías y renovarse. Se reparan las células dañadas, y se restablecen la brillantez mental y la vitalidad. Al mismo tiempo el cerebro puede asimilar mejor la gran cantidad de información que se le ha proporcionado durante el día.

¿No le ha ocurrido algunas veces que, a pesar de haber analizado cuidadosamente un problema no le ha encontrado la solución,

R. S.

pero que, al día siguiente, al levantarse por la mañana, se ha sorprendido de tener claramente la respuesta? No se trata de un milagro. Es sencillamente que las células maravillosas de su cerebro han estado trabajando subconscientemente mientras usted disfrutaba del reposo que tanto necesitaba. Muchos estudiantes inteligentes entienden muy bien la forma en que trabajan sus mentes, y hacen buen uso de ese conocimiento siempre que les es posible; y eso ocurre todos los días.

Me interesa mucho el tema de la "Higiene". ¿Podría decirme algo más acerca de esto?

e) *Higiene:*

Acostumbramos relacionar la higiene con la simple acción de mantenernos limpios. Este es un aspecto muy importante que se debe destacar. En estos días estamos viendo cada vez más la tendencia de muchos a mantenerse sucios y desaliñados. Pero el aseo es algo muy importante para la buena salud. Por lo tanto, mi consejo es: báñese regularmente, lave su piel con agua tibia y use abundante jabón. Haga esto lo más a menudo posible.

Y no se olvide del cabello. Al cuero cabelludo le agradan el agua y el jabón. También le agrada sentirse limpio. Cuando mantenemos en nuestros cuerpos las materias grasas que él mismo ha expulsado, las que se mezclan con el polvo y otras impurezas del ambiente, se forma un medio que favorece el desarrollo de los gérmenes, lo que perjudica la salud.

¿Y todo esto ocurre en nuestra sociedad tan civilizada?

Así es. A menudo contemplo los alumnos de una universidad que está no lejos de mi casa. Realmente me quedo abrumado cuando observo las ropas sucias y la mugre que se ve en esos jóvenes.

Personalmente, siempre trato de mantenerme en lo posible en armonía con la moda en general. Pero la moda nunca acepta la suciedad y la falta de higiene. Si usted quiere triunfar como estudiante, trate de cuidar en lo posible este importante aspecto de su diario vivir.

Hay que practicar regularmente hábitos tan sencillos como cepillarse los dientes (por lo menos en la mañana y en la noche), limpiarse y cortarse las uñas, darse un corte de pelo de vez en cuando, afeitarse regularmente, usar desodorante y ponerse ropa limpia.

¿Por qué hay que practicar esos hábitos? Porque muchos que aspiran a triunfar en la vida suelen olvidar que estos sencillos hábitos son útiles e importantes. Los estudiantes que triunfan no olvidan estas cosas. Posiblemente eso mismo les ayuda a tener éxito.

Pero hay otros aspectos de la higiene que deseamos mencionar. ¿Cuál es la apariencia de su cuarto? ¿Cómo está su escritorio? ¿Cómo están sus estantes de libros, sus gavetas y demás muebles? ¿Tiene su oficina o cuarto de estudio la apariencia de un enredo de papeles, libros, reglas y sobres tirados por aquí y por allá, a tal punto que se hace imposible localizar algo sin que haya que revolverlo todo?

¿Cómo está el maletín que usa para ir a la escuela? ¿Está medio lleno de envolturas de la comida de ayer, cáscaras de manzana, pañuelos sucios y otras cosas como éstas? Y su cama, ¿está limpia y bien tendida, o bien es otra muestra de desorden?

La mente del estudiante se refleja en su cuarto y en sus estudios. Donde hay una mente ordenada, generalmente hay escritorios, gavetas, roperos y camas ordenados.

Por otra parte, una mente desordenada y confusa produce desorden y confusión, y también exámenes pobres que en ningún momento llegan a recibir calificaciones altas.

Veo que otro de los subtítulos es el "Ritmo circadiano". Esto suena impresionante.

f) *Ritmo circadiano:*

Y es impresionante.

El cuerpo está compuesto de una serie de sistemas. A eso nos referimos con el nombre de "ritmos circadianos". Esta expresión viene de la palabra latina *circa,* que significa "cerca", y *dies,* que significa "día". Estos sistemas envuelven aproximadamente un espacio de 24 horas.

Un ejemplo de esto es la temperatura del cuerpo. Cerca de las 6:00 AM la temperatura del cuerpo está a su más bajo nivel. Según va avanzando el día la temperatura va aumentando. Llega a su punto culminante entre dos y cinco de la tarde.

Ciertas glándulas claves del cuerpo siguen también un ritmo similar. Por su parte, sus secreciones afectan otras partes del sistema y éstas a su vez producen otros ritmos. Algunos investigadores han encontrado que la persona promedio tiene su punto más

bajo de eficiencia intelectual cerca de las cuatro de la mañana. De ahí en adelante la agudeza mental aumenta gradualmente. Y llega a su punto culminante más tarde durante el día. Esto por supuesto varía de persona a persona. Algunos encuentran que su punto de máxima eficiencia se logra a la media mañana y también durante la noche. Sin embargo otros encuentran que van subiendo gradualmente hasta que su punto máximo de eficiencia lo logran de siete a diez de la noche.

El ritmo circadiano produce dos efectos muy importantes en la vida. Uno afecta a las personas que viajan largas distancias en los modernos aviones de alta velocidad. Cuando estas personas llegan a su destino, muy a menudo tienen que hacer decisiones muy importantes para sus negocios a una hora cuando el reloj interno les está diciendo que debieran estar acostados durmiendo en su cama.

Por esta razón a los viajeros internacionales ahora se les advierte que traten de descansar a su llegada. Se les sugiere también que arreglen sus itinerarios de viajes de tal manera que puedan llegar al lugar adonde viajan en las horas de la noche para tener un sueño reparador. Bajo ninguna circunstancia un viajero debe hacer una decisión importante dentro de las 24 horas siguientes a su llegada. Ni tampoco debe tratar de conducir un vehículo en las ciudades congestionadas por lo menos hasta el día siguiente.

Desde el punto de vista del estudiante, la importancia de reconocer bien su ritmo circadiano es muy evidente. Su organismo está automáticamente estimulado para llegar naturalmente a un máximo de actividad mental. Aproveche esta circunstancia. Programe sus actividades de tal manera que sus estudios más importantes los haga en el momento cuando su capacidad y eficiencia están en su punto más elevado. Como dije antes, sería muy conveniente que usted haga sus estudios en las horas tempranas de la mañana. No obstante, en muchos casos la naturaleza no coopera con esta circunstancia. Por lo tanto conviene tratar de reconciliar los factores físicos con los factores naturales. A la larga esto le dará mayor eficiencia.

Otro de sus subtítulos dice "Programación". ¿Cuán importante es esto para el estudiante?

g) *Programación:*

Yo creo que esto es de gran importancia. Sin ello el estudiante está condenado al fracaso desde el principio.

La "programación" es lo que está de moda hoy. Es algo que asociamos con el mundo de las computadoras. De hecho la primera "computadora" que existió es el cerebro humano. Y estas computadoras han estado trabajando eficientemente durante miles de años. Así que el concepto de computación no es completamente nuevo.

El estudiante responsable programará sus actividades de una manera balanceada y mediante un sistema cuidadoso. De hecho vale la pena pasar varias horas trabajando en la preparación de un programa personal. Esto es muy conveniente sobre todo cada vez que comienza un nuevo período escolar, ya sea un trimestre o un semestre.

Tome un papel y haga una lista de las cosas que quiere lograr durante ese período. Por supuesto esto ha de ser en términos generales. Pero de todos modos puede preparar un programa muy apropiado. Sin duda que en su colegio le van a dar un horario de clases. Esto puede servirle como la base principal para su programa. Pero aparte de esto también habrá otras cosas que considerar. Por ejemplo, la cantidad de trabajo que se debe lograr en la casa cada noche y en los fines de semana, el trabajo fijo, y el trabajo extra que espera realizar si quiere realmente hacer una labor extraordinaria.

Luego vienen los factores que brevemente hemos presentado antes. Deberá haber un tiempo para hacer ejercicio, para tomar las comidas, para dormir y para la higiene personal. En todo esto usted debe tomar en cuenta los factores del ritmo circadiano.

El estudiante de éxito hará también un programa para cada día, variando de acuerdo con las circunstancias particulares de algunos días.

En este momento posiblemente usted estará protestando y pensando que esto no es posible. Pero en la práctica sí es posible. Los estudiantes de éxito reconocen a tiempo la importancia de una planificación adecuada. Por supuesto, siempre hay que hacer algunas adaptaciones. Esta es una manera apropiada de realizar un trabajo. Y esto es así, ya sea usted un estudiante, un hombre de negocios o un profesional. Si usted puede dominar el arte de programar su vida ahora que es todavía joven, las posibilidades de éxito ilimitado para el resto de su vida están aseguradas. Cuando se

¿CUAL SERA SU PESO "IDEAL"?

En la página siguiente hay una escala detallada de los pesos "ideales". Usted notará que, desde el nacimiento hasta los 17 años, el peso está en proporción directa con la edad y la estatura (Tabla A), y que el mismo varía mucho de los 15 a los 17 años. Después de esta edad, el peso se halla en proporción únicamente con la estatura. Se presta consideración al sexo respectivo y a la estatura: pequeña, mediana o grande. Los pesos y las medidas se dan en los dos sistemas más conocidos.

REGISTRO PERSONAL

Ud. puede utilizar el resto de esta página para guardar un registro sistemático de su peso y altura a través de varios meses o años.

FECHA	EDAD	ALTURA	PESO REAL	PESO "IDEAL"

A

PESO Y ALTURA PROMEDIOS PARA NIÑOS Y ADOLESCENTES

Edad	NIÑOS					NIÑAS				
	Altura			Peso		Altura			Peso	
	Pies	Pulg.	Cm.	Lb.	Kg.	Pies	Pulg.	Cm.	Lb.	Kg.
Al nacer	1	8	50,8	7 1/2	3,4	1	8	50,8	7 1/2	3,4
1/2	2	2	66,0	17	7,7	2	2	66,0	16	7,2
1	2	5	73,6	21	9,5	2	5	73,6	20	9,1
2	2	9	83,8	26	11,8	2	9	83,8	25	11,3
3	3	0	91,4	31	14,0	3	0	91,4	30	13,6
4	3	3	99,0	34	15,4	3	3	99,0	33	15,0
5	3	6	106,6	39	17,7	3	5	104,1	38	17,2
6	3	9	114,2	46	20,9	3	8	111,7	45	20,4
7	3	11	119,3	51	23,1	3	11	119,3	49	22,2
8	4	2	127,0	57	25,9	4	2	127,0	56	25,4
9	4	4	132,0	63	28,6	4	4	132,0	62	28,1
10	4	6	137,1	69	31,3	4	6	137,1	69	31,3
11	4	8	142,2	77	34,9	4	8	142,2	77	34,9
12	4	10	147,3	83	37,7	4	10	147,3	86	39,0
13	5	0	152,4	92	41,7	5	0	152,4	98	45,5
14	5	2	157,5	107	48,5	5	2	157,5	107	48,5
15*	5	4	162,6	116	52,6	5	3	160,0	115	52,2
16*	5	6	167,6	128	58,0	5	4	162,6	118	53,5
17*	5	7	170,2	134	60,8	5	4	162,6	118	53,5

* El peso varía mucho entre los 15 y 17 años.

PESO "IDEAL" PARA ADULTOS A PARTIR DE LOS 25 AÑOS

B

Altura (con calzado)			Peso "ideal" en libras y kilos para MUJERES Si desea el peso sin calzado ni ropa, reste 1 a 1 1/2 kilos (2 ó 3 libras) de los pesos dados					
			Cuerpo pequeño		Cuerpo mediano		Cuerpo grande	
Pies	Plg.	Cm.	Lb.	Kg.	Lb.	Kg.	Lb.	Kg.
5	0	152,4	105-113	47,6-51,3	112-120	50,8-54,4	119-129	54,0-58,5
5	1	154,9	107-115	48,5-52,2	114-122	51,7-55,3	121-131	54,9-59,4
5	2	157,5	110-118	49,9-53,5	117-125	53,1-56,7	124-135	56,3-61,2
5	3	160,0	113-121	51,3-54,9	120-128	54,4-58,1	127-138	57,6-62,6
5	4	162,6	116-125	52,6-56,7	124-132	56,3-59,9	131-142	59,4-64,4
5	5	165,1	119-128	54,0-58,1	127-135	57,6-61,2	133-145	60,3-65,8
5	6	167,6	123-132	55,8-59,9	130-140	58,9-63,5	138-150	62,6-68,0
5	7	170,2	126-136	57,2-61,7	134-144	60,8-65,3	142-154	64,4-69,9
5	8	172,7	129-139	58,5-63,1	137-147	62,2-66,7	145-158	65,8-71,7
5	9	175,3	132-143	60,3-64,9	141-151	64,0-68,5	149-162	67,6-73,5
5	10	177,8	136-147	61,7-66,7	145-155	65,8-70,3	152-166	69,0-75,3
5	11	180,3	139-150	63,1-68,0	148-158	67,1-71,7	155-169	70,3-76,7
6	0	182,9	141-153	64,0-69,4	151-163	68,5-73,9	160-174	72,6-78,9

C

Altura (con calzado)			Peso "ideal" en libras y kilos para HOMBRES Si desea el peso sin calzado ni ropa, reste 2 1/2 a 3 kilos (5 a 6 libras)					
			Cuerpo pequeño		Cuerpo mediano		Cuerpo grande	
Pies	Plg.	Cm.	Lb.	Kg.	Lb.	Kg.	Lb.	Kg.
5	2	157,5	116-125	52,6-56,7	124-133	56,3-60,3	131-142	59,4-64,4
5	3	160,0	119-128	54,0-58,1	127-136	57,6-61,7	133-144	60,3-65,3
5	4	162,6	122-132	55,3-59,9	130-140	58,9-63,5	137-149	62,1-67,6
5	5	165,1	126-136	57,1-61,7	134-144	60,8-65,3	141-153	63,9-69,4
5	6	167,6	129-139	58,5-63,1	137-147	62,2-66,7	145-157	65,8-71,2
5	7	170,2	133-143	60,3-64,9	141-151	64,0-68,5	149-162	67,6-73,5
5	8	172,7	136-147	61,7-66,7	145-156	65,8-70,8	153-166	69,4-75,3
5	9	175,3	140-151	63,5-68,5	149-160	67,6-72,6	157-170	71,2-77,1
5	10	177,8	144-155	65,3-70,3	153-164	69,4-74,4	161-175	73,0-79,4
5	11	180,3	148-159	67,1-72,1	157-168	71,2-76,2	165-180	74,8-81,7
6	0	182,9	152-164	69,0-74,4	161-173	73,0-78,5	169-185	76,7-83,9
6	2	185,4	157-169	71,2-76,7	166-178	75,3-80,7	174-190	78,9-86,2
6	1	188,0	163-175	73,9-79,4	171-184	77,6-83,5	179-196	81,2-88,9
6	3	190,5	168-180	76,2-81,7	176-189	79,8-85,7	184-202	83,5-91,6

aprenden estos principios, con el tiempo, nunca se olvidan. Se aplican automáticamente.

Una vez que se hace un programa general es importante que día tras día se vayan haciendo algunos ajustes menores. Es una sugerencia muy práctica llevar siempre consigo una libretica de notas. En ella puede apuntar lo que desea realizar. Y así, según va avanzando el día y va llevando a cabo algunas cosas, táchelas del programa de ese día. Si no ha logrado realizarlas, páselas a la lista del programa del día siguiente. Y cuando las realice, táchelas también.

En resumen, esto va representando blancos y objetivos alcanzados. Una persona sin un blanco en la vida, o una serie de blancos, es como un barco sin timón. Nunca llega a ningún lugar porque sencillamente no sabe a dónde va.

Y si una persona no sabe a dónde va, probablemente va a fracasar. Por otra parte, si conoce su rumbo, sin duda va a llegar hasta el objetivo que se ha propuesto.

Me fijo que el tercer punto que usted tiene en la lista de los subtítulos habla acerca de la rutina del estudio.

Sí. Este es el punto final acerca del cual los estudiantes deben tener un buen conocimiento. No es un asunto de poca importancia. Por eso planeamos dedicar al tema todo un capítulo especial.

Así que, si quiere leer el siguiente capítulo, va a encontrar sugerencias muy efectivas que le garantizarán mucho más éxito del que usted cree que es posible alcanzar.

10

Un método seguro para estudiar con provecho

Este capítulo es realmente una continuación del anterior. Así que, si usted comienza a leer este libro por esta parte, le sugerimos que lea primero el capítulo precedente. De esta manera logrará una mejor comprensión del material.

Realmente esto viene a ser la tercera gran sección del material de información que hemos venido exponiendo acerca de la mejor manera de estudiar. Ya hemos mencionado los puntos principales en cuanto al papel que desempeña el ambiente en el estudio. En otras palabras, cómo ayuda un lugar silencioso en la labor de alimentar el cerebro con información confiable, que más tarde puede ser reproducida, más algunos de los esenciales elementos físicos relacionados con el estudio. Hemos hablado, además, en cuanto a cómo mantenernos físicamente aptos y mentalmente alerta.

Así que ahora vamos a tocar tal vez el punto más importante para lograr éxito en nuestra labor escolar, en el colegio, en la universidad, en clases técnicas o en lo que fuere. Como se puede ver, no importa dónde se estudie ni qué clase de curso se lleve, siempre hay determinados patrones básicos que hay que tomar en cuenta si se espera tener éxito.

Esto es muy cierto. Lo que hace que un estudiante inteligente se destaque sobre los demás, es su conocimiento y práctica de las técnicas esenciales del estudio. Sin que haya que darle muchas instrucciones, él mismo descubre por su cuenta la foma correcta de hacerlo.

Creo que usted ha titulado esta parte "La rutina del estudio".

Así es. Ahora quisiera presentar una serie de subtemas acerca del tema general. Esto ayudará a entender y a seguir mejor el esquema general.

3. *La rutina del estudio:*
   a) Lea en forma general.
   b) Resuma.
   c) Revise en el acto.
   d) Repase regularmente.

Este parece un bosquejo bastante lógico. Ahora pasemos a los puntos específicos. Punto (a). Lea en forma general.

a) *Lea en forma general:*

No importa cuál sea el tema que se está estudiando, es indispensable captar una idea general en cuanto al tema de que se trata. No vale la pena intentar entender aspectos aislados de algo si no tenemos una idea del cuadro general. Esto es como si fuésemos a una galería de arte y empezáramos a mirar pequeñas partes de un cuadro entero. Imagínese que un cuadro está cubierto en las nueve décimas partes, de modo que no se puede ver el resto. ¿Qué concepto podría tenerse acerca de ese cuadro? Absolutamente ninguno, se lo puedo asegurar.

Pero si una persona se aleja un poco y mira el cuadro en su totalidad la situación cambia. Así se puede apreciar la magnitud de la obra. De una sola mirada se puede determinar qué era lo que el artista tenía en su mente al pintar el cuadro. Uno puede identificarse con él y vibrar con la escena pintada en el mismo. Ciertamente uno participa de la idea contenida en esa obra de arte.

Al mirar la obra con esa actitud aumenta el interés. El tema cobra vida. En el acto la inteligencia se aviva y se crea un interés intenso.

Lo mismo ocurre con el estudio. Todo se hace más vivo y real cuando se tiene una idea general del tema que se considera.

Más tarde, cuando el asunto principal se subdivide en pequeñas partes, de una sola mirada se puede determinar en qué parte del cuadro principal va cada cosa. Hablando otra vez del cuadro de la galería de arte, si se nos lleva nuevamente allí y se nos muestra sólo la tercera parte del cuadro, en un momento podemos reconocer ese segmento como parte del cuadro general. Ahora sí que esa parte del cuadro significa algo para nosotros. Pero qué diferente fue en la primera visita, cuando vimos el mismo segmento pero sin haber contemplado antes el cuadro total.

No importa cuál sea el tema o el asunto que usted tenga bajo consideración, siempre rige el mismo principio. Trate primero de

lograr una comprensión general del tema. Léalo tan rápidamente como pueda. Analícelo con cuidado en su mente. De esta forma los detalles particulares pueden encajar perfectamente en el todo.

Hasta aquí todo va muy bien. ¿Qué viene después?

Permítame presentar lo siguiente en esta forma:

b) *Resuma:*

1) Títulos principales
2) Subtítulos
3) Subtítulos secundarios

Nadie debe alarmarse por este extraño sistema de títulos y subtítulos. No es tan complicado como pudiera parecer al principio. De hecho, un poco más adelante vamos a presentar el cuadro completo en una sola página para que se pueda observar cuán sencillo es el procedimiento. Pero ahora vamos a profundizar un poco más en cuanto a la forma como este sistema trabaja.

1) *Títulos principales:* Después que se tiene la idea general del tema que se está estudiando, conviene descomponer el todo para organizarlo en una forma más digerible, porque resulta imposible para la mente memorizar y retener un volumen tan grande de material.

Es cierto que hay algunas personas geniales que han sido favorecidas con lo que se conoce como una "mente fotográfica". Pero éstas son la minoría. El resto de nosotros (que viene a ser como 99,9 por ciento de la población del mundo o tal vez más) necesita hacer grandes esfuerzos para grabar cualquier material en la memoria.

Esto significa que hay que reducir este copioso volumen de material a fracciones pequeñas para programarlas en la mente de forma que resulten fáciles de manejar.

Sin duda alguna la forma más eficaz de realizarlo es resumir ese gran conjunto de información que queremos almacenar en el cerebro. Hay muchos temas que se pueden dividir en sus elementos principales. Y a éstos se los podría llamar "títulos principales".

Como habrá usted notado en los capítulos anteriores, así como en éste, hemos agrupado el tema del estudio bajo tres encabezamientos principales:

1) El ambiente.
2) Los aspectos físicos.
3) La rutina del estudio.

En otras palabras el material que ha integrado estos dos capítulos se ha presentado bajo estos tres títulos principales.

En la misma forma, el lector puede reducir el estudio que esté haciendo a tan sólo unos pocos temas principales. Por supuesto terminará con una gran cantidad de temas resumidos. Pero cada clasificación poseerá en sí la clave de una enorme cantidad de información que podrá almacenar en su cerebro.

Como sin duda usted sabrá, los exámenes no son otra cosa que una forma de probar la capacidad de poder recordar una serie de informaciones que uno recibió durante ciertos períodos escolares o durante algunos semestres en el colegio o en la universidad.

Escoja el tema que desee y verá que los principios son siempre los mismos. Por lo tanto, el arte de estudiar viene a ser básicamente el arte de depositar material informativo en el banco de la memoria, más el arte de recordarlo cuando se lo necesita.

Ahora nos estamos ocupando de lo que tiene que ver con el almacenamiento de ese material. Después estudiaremos acerca de otro proceso igualmente importante: la extracción oportuna de ese material de donde lo hemos almacenado.

2) *Subtítulos:* Así como podemos dividir el material que queremos aprender en unos pocos títulos principales, también es posible subdividirlo en subtítulos más específicos. Cada subtítulo puede contener diferentes aspectos del tema general en consideración.

Puede haber pocos o muchos subtítulos. Todo dependerá y variará de acuerdo con la naturaleza del tema. Yo he encontrado que cuando este método se empieza a usar, y ya se ha empleado unas cuantas veces, es más fácil exagerar su uso que dejarlo de usar.

Al principio las listas de subtítulos resultan bastante largas. Sin embargo, después que se adquiera alguna experiencia se notará que cada vez se utilizará una cantidad menor de subtítulos. Este es un recurso que puede resultar muy provechoso.

3) *Subtítulos secundarios:* En esta sección se enumeran las partes principales del caso.

Si se trata de historia, de geografía o de algo parecido, es la misma cosa.

Primeramente se organizan los temas generales de los puntos que se van a tratar. Después se va especificando cada uno de los puntos.

Debe ser tan breve como sea posible. Si lo desea puede usar su sistema de "taquigrafía" personal.

Yo he tenido por costumbre usar lápiz rojo para lo que hay que destacar más, lápiz verde para lo que hay que destacar un poco menos, y finalmente lápiz azul para lo que hay que destacar aún menos. Aunque hace muchos años que salí de la universidad, todavía uso esos tres colores claves.

Más adelante voy a darles un resumen modelo, para que lo que no esté claro en estas explicaciones sea más comprensible entonces.

Ya hemos aprendido a resumir el material. Veo que el próximo punto en la agenda está dedicado a la revisión.

c) *Revise en seguida:*

Cierto. Hasta aquí se tiene un cuadro completo de todo el tema. Se lo ha subdividido en sus partes integrantes. A medida que se hacía esto, también se ha ido realizando una triple operación. Mientras se ha estado haciendo el resumen, concurrentemente se ha estado leyendo y escribiendo, y seguramente que también se ha estado repitiendo el material en voz alta o mentalmente.

Podemos resumir estas operaciones de la siguiente manera:

1) Cuadros o representaciones mentales.

2) Cuadros o representaciones visuales.

3) Cuadros o representaciones orales y auditivos.

Vamos ahora a analizarlo parte por parte.

Empecemos por los cuadros mentales.

1) *Cuadros mentales.* Cuando uno está leyendo la información que recibe de la lectura, se proyecta en la mente como en forma de un cuadro. Pueden ser cuadros reales o cuadros de palabras. Pero de todas maneras se proyecta cierta clase de imagen.

En esta forma el resumen queda registrado indeleblemente en la computadora de su mente ("programado" si se prefiere esta expresión). Esos esquemas o resúmenes se van depositando en el banco de la memoria.

Una vez que se registran allí, allí permanecen. De esto no hay la menor duda. Hablaremos algo más sobre este asunto un poco más adelante para que se pueda ver la forma eficiente como trabaja este sistema.

¿Qué puede decir acerca de los cuadros visuales?

2) *Cuadros visuales.* El hecho de escribir palabras en un papel

en forma condensada significa que uno está haciendo cuadros con palabras. Más adelante esto reforzará el material que ya está en su mente.

Ahora díganos algo sobre los cuadros orales y auditivos.

3) *Cuadros orales y auditivos.* El material que se transmite al papel es visualizado mediante los ojos. Simultáneamente se pueden repetir en voz alta algunas de las cosas que se están escribiendo en el papel, o bien podría repetirse mentalmente lo que se ha escrito. Mediante este recurso, los impulsos que ya se habían programado en la computadora cerebral se refuerzan con dos métodos adicionales: mediante los sentidos de la vista y del oído (o sonido).

Como habíamos dicho antes, el próximo paso después del resumen es *revisar en seguida.* Al hacerlo así, estamos realizando el primer intento de extraer de nuestra computadora algunas de las informaciones que recientemente se han depositado en los bancos de la memoria.

Cuando se termine el resumen, léalo todo. Use el sistema de subrayar, si así lo desea, o si no, puede dejar esto para hacerlo en la siguiente revisión.

A continuación cierre sus ojos. Trate de recordar mentalmente los títulos principales. Luego, uno por uno, esfuércese por recordar los subtítulos. Finalmente, trate de recordar los puntos claves que aparecen bajo esos subtítulos.

Realmente esto debe poder hacerse en poco tiempo. Si nota que le cuesta trabajo, tome un papel y escriba en él esos puntos en orden.

Una vez más estará usando los mismos sentidos con el propósito de recordar, de la misma manera que los usó anteriormente para registrarlos en la computadora de su mente.

Todo esto pudiera parecerle al principiante demasiado pormenorizado y tal vez innecesario. Sin embargo, a medida que ensaye este método, se dará cuenta de que realmente da resultado.

El solo hecho de usar un sistema repetitivo para registrar los conocimientos, y otro sistema semejante para extraerlos según se los necesita, facilita la tarea.

Se descubrirá en breve que, tan pronto como se empieza a extraer información de la mente, en seguida se ponen en acción algo así como unos "disparadores mentales". Se descubrirá, además, que una vez que se haya evocado el primer cuadro de palabras o de imágenes mentales, los restantes comenzarán a aparecer automáticamente en forma sucesiva, hasta reproducir el resumen completo. En otras palabras uno podrá recordar su trabajo.

Trataré de explicarlo un poco mejor. La facilidad para recordar es a menudo lo que más contribuye a crear la impresión de brillantez en torno a un estudiante. Tal vez usted no lo crea así y se preguntará cómo se aplica esto a los problemas matemáticos. Realmente no es difícil adaptar este esquema a las matemáticas. Un estudiante inteligente puede recordar con facilidad ejemplos de una operación matemática, que previamente ha visto, cuando está efectuando otra operación en determinado momento. Por lo tanto quiero recalcar una vez más que es muy importante recordar, o extraer de los bancos de la memoria conocimientos que antes habíamos depositado allí, para aplicarlos a la solución de algún problema que estamos tratando de resolver en un momento dado. Usted encontrará que este método se aplica a todos los problemas, no importa su naturaleza o tamaño.

El último punto que aparece en el resumen que nos dio en páginas anteriores se titulaba "repase regularmente".

d) *Repase regularmente:*

Vamos a considerar este asunto bajo estos subtítulos.

1) Repase diariamente.

2) Repase semanalmente.

3) Repase mensualmente.

Vamos a comenzar con los repasos diarios.

1) *Repase diariamente.* Una vez revisado el trabajo inmediatamente después de hacer el primer resumen, puede ponérselo a un lado. Usted puede pasar al siguiente, irse a acostar, irse a pasear, a correr o a tomarse un vaso de agua. (Recuerde que no debe tomar refrescos ni comer dulces. Tal vez podría comerse una manzana o una naranja, si es que siente mucha hambre.)

Después lo ideal es repasar brevemente el resumen al día siguiente. Luego puede poner a prueba el sistema de recuperación de conocimientos. Mentalmente o usando papel y lápiz, otra vez puede usted repetir la misma rutina de la noche anterior. Trate de recordar lo más que pueda del resumen sin mirar el escrito.

Al final, si tiene problemas, consulte el original. Después de un corto tiempo se acostumbrará más y más a extraer del banco de su memoria los conocimientos que ha depositado y que necesita en un momento dado.

Si se trata de problemas de matemáticas o de índole similar, trate de afrontar la situación utilizando los métodos que aprendió el día anterior. Por otra parte, si encuentra que todo se le hace difícil y no está adelantando mucho, vuelva a repasar su resumen escrito. Léalo en voz alta. Refresque la información que tiene en la memoria, mediante la vista, el recuerdo mental, el oído y otra vez escribiendo en un papel.

Cuando termine este procedimiento archive nuevamente su resumen donde lo pueda encontrar fácilmente al otro día.

Ahora viene el punto que hemos titulado "repase semanalmente".

2) *Repase semanalmente.* En lo posible trate de repasar sobre una base semanal, durante una o dos semanas. No hace falta emplear mucho tiempo en estos breves repasos.

3) *Repase mensualmente.* El mismo principio se aplica a los repasos más largos. Organice todo de manera que pueda dedicar tiempo para hacer estos repasos cada mes (o más tarde, cada dos o tres meses, o posiblemente hasta cada semestre).

Comprendo que a veces hay poco tiempo, que el trabajo aumenta en volumen y en detalle, y que pareciera que es imposible hacer las cosas como uno quiere. Pero si se atiene fiel y regularmente a este sistema, le aseguro que podrá hacerlo todo muy bien.

De hecho, un par de horas que pase, cada fin de semana, repasando todo el trabajo que ha hecho, en la forma que hemos sugerido, refrescará notablemente su memoria y hasta podría convertirlo en un estudiante brillante.

Usted dijo antes que iba a presentar un resumen completo de los dos capítulos anteriores como un ejemplo de lo que tiene en mente.

Exactamente. A continuación aparece un resumen del material que se ha explicado hasta aquí. Presenta claramente los puntos que hemos considerado. Este es un patrón general para cualquier resumen. No importa de qué material se trate, los principios siempre son los mismos.

Recuerde esto: cuando haya dominado el arte de resumir, cuando haya registrado los datos en su memoria y aprendido la forma de recuperarlos, entonces podrá usar este método cada día durante el resto de su vida. No hay duda en cuanto a esto. Y los demás estarán siempre preguntándose cómo es que usted lo puede hacer. No tiene necesidad de revelárselo a ellos. Déjelos que sigan pensando cuán inteligente es usted. ¡Lo que por otra parte es muy cierto!

Resumen de los dos capítulos

Métodos eficaces para estudiar mejor

1. *Ambiente*
   - A. Un cuarto sólo para usted
   - B. Tranquilidad
   - C. Iluminación
   - D. Temperatura
   - E. La silla
2. *Los aspectos físicos*
   - A. Salud general
   - B. Régimen alimentario
   - C. Ejercicio
   - D. Sueño
   - E. Higiene
   - F. Ritmo circadiano
   - G. Programación
3. *La rutina del estudio*
   - A. Lea en forma general
   - B. Resuma
     - 1) Títulos principales
     - 2) Subtítulos
     - 3) Subtítulos secundarios
   - C. Repase en seguida
     - 1) Cuadros mentales
     - 2) Cuadros visuales
     - 3) Cuadros orales y auditivos
   - D. Repase regularmente
     - 1) Repase diariamente
     - 2) Repase semanalmente
     - 3) Repase mensualmente

¿Dice usted que este método se puede aplicar a cualquier fase del estudio, del trabajo o de la vida en general?

Ciertamente que se puede. Sólo tiene que sentarse y meditar

por unos momentos para darse cuenta del vasto potencial que hay en este método. Realmente vale la pena hacerse un experto en este asunto. Yo lo puedo asegurar por haberlo probado a través de muchos años.

Creo que usted tiene otros puntos que quisiera presentarnos.

Sí. Uno es la historia de algo que, cuando ocurrió, me resultó muy divertido. Todavía lo recuerdo y sigue pareciéndome interesante. Creo que es algo que reafirma el valor del método que hemos estado exponiendo de una manera sencilla.

Hace algunos años Sandra, mi hijita, que para ese tiempo tenía cuatro años de edad, era muy aficionada a los rompecabezas.

A mí me asombraba ver la rapidez con que ella los podía armar. Estoy seguro de que por lo menos otros cincuenta mil niños en el país eran tan eficientes como ella, pero yo no había tenido oportunidad de comprobarlo personalmente. De aquí surge esta historia de ambiente familiar.

Al principio el rompecabezas de Sandra venía en piezas grandes y sueltas y con un dibujo sobre el cual se colocaban las piezas. No le costó mucho trabajo aprender a juntar las piezas. Las primeras veces sólo se limitaba a colocar las piezas sobre el dibujo original. Pero cuando eso ya le resultó aburrido, empezó a juntar las piezas sin usar el dibujo.

Muy pronto perdió el interés también en esto, así que puso el dibujo boca abajo y comenzó a guiarse por la forma de las piezas, de tal manera que al final se formaba un cuadro en blanco en el cual sólo se veían las marcas de los cortes irregulares hechos por el fabricante del rompecabezas.

No pasó mucho tiempo cuando ya también esta forma de usar el rompecabezas le resultaba sin interés alguno. Así que un día agarró unos cuantos rompecabezas y los colocó en una bolsa de plástico, los agitó bien y después los desparramó por el piso. Luego empezó a colocarlos boca abajo y poco a poco fue formando una media docena de cuadros en blanco, esparcidos en media docena de espacios diferentes.

Esto me asombró bastante. A los pocos días era increíble ver lo experta que se había puesto en esa actividad. De vez en cuando tomaba el reloj, lo ponía a cierta hora y decía: "Tómenme el tiempo". De ahí en adelante yo podía observar la rapidez con que ella lograba juntar las piezas de los rompecabezas que estaban con su cara hacia abajo y sin ningún dibujo en la parte de arriba. De vez en cuando, para hacer el juego un poco más emocionante, disimuladamente sacábamos algunas piezas del rompecabezas y las sustituíamos con algunas de otro juego. Pero finalmente su computadora descartaba esas piezas ajenas como elementos extraños.

Espero que este sencillo relato —tal vez de poca importancia en sí mismo— sirva para ilustrar lo que hemos venido explicando. Aquellas formas se habían grabado tanto en la computadora mental de Sandra que ella ya sabía en qué parte del todo debía colocar las piezas para formar el cuadro completo. No tenía la menor duda. Había repasado el resumen tan a menudo, tantas veces, que el proceso ya se había tornado automático. No necesitaba ni siquiera pensar. Era un proceso instantáneo.

Me gustan las historias personales. Parecen devolvernos otra vez a la tierra y nos suenan tan humanas. Ahora háblenos del método que usted tenía en mente en cuanto a los resúmenes de libros.

Muy a menudo, cuando el tiempo pasa y la cantidad de trabajo aumenta, el método de resúmenes del cual hemos hablado antes puede resultar un poco difícil por razón del tiempo y del volumen de trabajo. Pero todavía son efectivos los mismos principios generales.

Vale la pena mencionar dos ideas en particular:

1) Resúmenes efectuados en el libro mismo.

2) Resúmenes efectuados en tarjetas.

Los dos son muy efectivos.

Explíquenos el primer método.

1) *Resúmenes efectuados en el libro mismo.*

A menudo es necesario conocer el contenido de un libro entero. A veces se trata de un libro de texto o de algún tema especial, y esto generalmente ocurre cuando estamos estudiando a nivel universitario.

Hacer resúmenes detallados resulta ser muy a menudo una tarea muy grande, y por lo tanto los métodos a usarse en estos casos tienen que variar. Un método excelente es el que sigue:

Use una vez más el sistema de lápices de colores.

Escoja el color que prefiera. El rojo es un color muy destacado, por lo que puede reservarse para los puntos principales.

Luego podría usar el verde para los puntos que le sigan en

importancia, después el azul para los asuntos de menor importancia.

Para empezar, lea el capítulo entero.

Luego, seleccione los pensamientos principales de ese capítulo y subraye las palabras claves con lápiz rojo.

A continuación subraye con lápiz verde los principales puntos que siguen en importancia. Y los otros puntos en azul.

Usted puede enumerar los puntos claves que están en rojo, con un círculo alrededor de cada número para que se destaquen más.

De igual manera puede numerar los subtítulos, o, si lo prefiere, haga sencillamente una marca de color en el margen. De esta manera se destacarán bastante bien.

Una vez completada esta operación, usted puede hacer un breve resumen al margen usando palabras sencillas y abreviaturas que puedan resumir las ideas principales del tema que está estudiando.

De esta manera usted puede hacer el resumen de una página de un libro hasta con sólo una media docena de palabras.

Por otra parte, puede insertar un papel en su libro, que sea más o menos del mismo tamaño de una página, y escribir en él un resumen del capítulo completo en una forma parecida a nuestro primer método, sólo que en este caso debe ser más corto.

Sin embargo, una vez que ha hecho esto, debe aplicar el antiguo método de "Revise en seguida" y "Revise regularmente".

Lo siento mucho, pero no hay una forma de escapar a esta rutina. Esta es la *única manera,* si se quiere obtener verdadero provecho del estudio.

Ahora hablemos del segundo método que mencionó.

2) *Resúmenes efectuados en tarjetas.*

Este método consiste en formar una serie de tarjetas del tamaño de un sobre común. Cada una debe estar encabezada con un capítulo clave del libro, y llevar a continuación los puntos más importantes del capítulo.

Esto se parece al tipo de resumen del que hablamos al principio. En el caso de la tarjeta, se condensa gran cantidad de la información. Puede contener de tres a cinco puntos principales, con los subtítulos necesarios.

Pero lo que antes se había resumido en tres páginas de libreta, en este caso se condensa en una sola tarjeta.

También se puede usar una libreta de notas con páginas más o menos del mismo tamaño que las tarjetas. La aplicación de este método permite tener una gran cantidad de trabajo condensado en unas pocas tarjetas. Un libro completo puede reducirse mediante este método a unas cuantas tarjetas fáciles de manejar.

Este método produce buenos resultados. Pruébelo y podrá comprobarlo personalmente. Por supuesto, necesita experiencia y práctica. Sin embargo, si usted ha estado usando el método común de hacer resúmenes digamos durante su escuela secundaria, cuando llegue a la educación superior tendrá oportunidad de usar el método tan ventajoso de las tarjetas.

Este método tiene la ventaja de que se pueden llevar las tarjetas a donde quiera que uno vaya. Si tiene diez minutos libres puede sacarlas para repasar una enorme cantidad de material. Este método ha ayudado a muchos estudiantes a alcanzar muy buenas notas. Es práctico, sencillo y beneficioso.

11

Cómo desarrollar los talentos

La pregunta lógica que surge después de haber leído el último capítulo es la siguiente: ¿Cómo puedo aprobar mis exámenes y sacar las mejores calificaciones?

Muy cierto. Por eso haremos también algunas recomendaciones en cuanto a este importante asunto. Después de todo, la razón principal para asistir a la escuela, al colegio, a la universidad o a cualquier otro centro de enseñanza, es asimilar conocimientos útiles y aprobar los cursos en que nos matriculamos.

Pero aprobar los exámenes es algo que está inevitablemente ligado a otra importante fase de la vida. Por esta razón yo creo que sería preferible empezar enfocando primeramente el cuadro general.

¿De qué se trata?

Poniéndolo en palabras sencillas para que todo el mundo pueda entender, diré que se trata de lo siguiente: "Las metas de la vida".

Me parece un tema interesante.

A todos nos gusta. Como quiera que sea, éste es el objetivo final, no meramente del estudio pero sí de la vida misma. Toda nuestra existencia está compuesta de una serie sucesiva de metas.

En la vida hay una gran meta general. Luego hay otras metas subordinadas. Hay también metas para cada año, para cada trimestre o semestre. Y hay, además, metas semanales y diarias.

Me parece que usted dijo que no tener metas en la vida es como viajar en un barco sin timón.

Considero que vale la pena insistir en este concepto. A menos que tengamos objetivos definidos en nuestra vida, seremos como objetos que flotan a la deriva en un inmenso mar. Iremos sin rumbo fijo por no haberlo fijado con anticipación. Cuando no se tiene un puerto de llegada, por muy competente que sea el piloto de la nave, no se llegará a ningún lugar definido.

Cuando una persona tiene claramente definido el rumbo que desea seguir, el cuadro cambia fundamentalmente. Toda su energía se concentra en la tarea de realizar el objetivo propuesto. La vida cobra nuevo sabor y nuevo significado.

La importancia del estudio

Cuando se trata de aprobar los exámenes, ¿cuán importante es la fijación de objetivos? Me parece que el tema tiene aplicación práctica para nuestros lectores varones que todavía están cursando sus estudios secundarios y universitarios.

Sin duda es algo de mucha importancia. El objetivo de aprobar un examen es una meta transitoria. Es tan sólo parte de nuestro rumbo hacia una meta más importante.

Los estudios de escuela secundaria son únicamente el preludio de algo mucho mayor, que puede ser la continuación de los estudios universitarios, técnicos o de otra índole. Indudablemente es una etapa en nuestro objetivo de adquirir una profesión digna y productiva que nos permita ser útiles a la sociedad, vivir holgadamente y tener una familia feliz.

Debido a la forma como aumenta cada día el costo de la vida, es muy importante que tengamos un nivel de educación que al menos sea un medio adecuado para conseguir un trabajo.

Cómo pasar los exámenes

Suponiendo que en la actual etapa de la vida de nuestro joven lector su meta principal sea aprobar sus exámenes, ¿cuál sería su consejo para él?

En primer lugar, eso tendría que ser su más urgente ambición en la actualidad. El ha seguido un curso de estudios en particular por alguna razón específica. La razón puede ser proseguir estudios más avanzados cuando apruebe los exámenes actuales. O bien puede ser obtener una beca, o ser admitido en una institución educacional muy exigente. Tal vez sea conseguir un determinado empleo en cierta compañía. En cualquier caso, la aprobación de los exámenes tendrá que ser para él lo más importante en ese momento. En resumen, ésa es la meta más próxima en su vida.

Es importantísimo que el alumno tenga esta meta claramente definida y que la recuerde constantemente. Además, debe estar firmemente convencido de que triunfará en esos exámenes.

De acuerdo. Suponiendo que él tiene la debida actitud mental en este sentido y que está absolutamente seguro de que alcanzará su meta y aprobará esos exámenes tan importantes, ¿qué debe hacer a continuación?

Si está realmente inflamado de verdadero celo trabajará con extraordinario entusiasmo. Se preparará para pasar largas horas en estudio constante para alcanzar su meta. Buscará el método más efectivo para sacar el mejor provecho de sus esfuerzos. En resumen, probablemente pondrá en práctica los métodos que hemos recomendado en las páginas anteriores.

Este alumno debiera saber que su cerebro funciona como una computadora, por lo que debe programarlo correctamente. Si él lo hace de una manera efectiva, métodica y sincera, puede esperar extraer los conocimientos de su computadora cuando los necesite. El método de estudiar que ya hemos explicado le ayudará en su propósito.

Un aspecto importante

¿No cree usted que valdría la pena hacer algún comentario sobre los exámenes en sí mismos? Hasta aquí hemos hablado del repaso en el sentido general de la palabra. Esto incluye el acto de extraer los conocimientos que antes se han depositado en la mente. Pero lo que verdaderamente importa es aplicar el método aprendido a la situación del examen.

Es verdad. Por supuesto, si el método fracasa cuando se está en el momento del examen, entonces todo el esfuerzo se habrá hecho en vano. Sin embargo, el método no fracasará si se tienen en mente algunos otros puntos.

El primero es una sencilla y conocida cita de la Sagrada Escritura. Dice así: ''Porque cual es su pensamiento ..., tal es él''. En fin si usted piensa que va a tener éxito, tenga la seguridad de que lo tendrá.

Nadie podría decirme que esto está pasado de moda o que fue escrito para una época pasada. Yo estoy convencido de que fue escrito también para los hombres y las mujeres que viven en la actualidad.

A mí me parece que usted es un firme creyente en las Sagradas Escrituras. ¿No es cierto?

Mi respuesta es definitivamente sí. Para mí las Escrituras constituyen el conjunto de normas de conducta de más actualidad que he conocido.

Tal vez algunas personas se asustan un poco con la Biblia, sencillamente porque no pueden entender bien la terminología que es muy común en ella. No hay duda de que algunas versiones más antiguas resultan un poco difíciles para la juventud moderna.

Estoy de acuerdo completamente. Entonces ¿cómo cree usted que se puede resolver este problema?

Pues yo busco las traducciones más modernas. Hay magníficas versiones de la Biblia escritas en lenguaje actualizado. No olvide que Cristo habló para la gente de su tiempo. Algunas versiones han sido traducidas usando las palabras que se usaban corrientemente en aquellos tiempos. Por eso yo pienso que es muy lógico usar las traducciones que contienen términos que están en uso actualmente.

Algunas personas que son un poco meticulosas dirían que en estas traducciones modernas se pierde algo del mejor sabor del estilo bíblico. Pero de todos modos lo que estamos buscando es la información general, o sea la sustancia del texto bíblico como alguien diría.

Entonces ¿cuál es su versión favorita de la Biblia?

Yo diría que me satisfacen todas.

En algunas de estas versiones modernas a veces pareciera que las expresiones bíblicas cobran un nuevo sentido. La forma en que ellas recalcan que se debe tener una meta en la vida y hacer todo lo posible por alcanzarla es algo que se plantea en sus páginas en forma admirable.

La Biblia destaca constantemente que, si nosotros deseamos alcanzar algo en la vida, sin duda con la ayuda de Dios lo alcanzaremos.

Entonces, ¿usted está convencido de que se puede alcanzar el éxito combinando nuestros esfuerzos con la ayuda divina?

Exactamente. Hay que pensar en las maravillosas promesas que hay en las Sagradas Escrituras. Por ejemplo, yo he encontrado que el libro de los Salmos contiene promesas que estimulan a tener fe en Dios y en su poder.

Vamos a ofrecer a continuación algunas citas tomadas de la versión popular de los Salmos:

"El Señor cuida el camino de los justos" (Salmo 1: 6).

"A gritos pido ayuda al Señor y él me contesta desde su monte santo" (Salmo 3: 4). .

"Sepan que el Señor me escucha cuando le llamo" (Salmo 4: 3).

"Mi protección es el Dios Altísimo, que salva a los de corazón sincero" (Salmo 7: 10).

"Señor, los que te conocen, confían en ti, pues nunca abandonas a quienes te buscan" (Salmo 9: 10).

"Señor, escucha mi causa justa, atiende a mi clamor, presta oído a mi oración, pues no sale de labios mentirosos. ¡Que venga de ti mi sentencia, pues tú sabes lo que es justo!" (Salmo 17: 1-2).

"... contestará desde su santo cielo, dándole grandes victorias con su poder" (Salmo 20: 6).

"Tu palabra es lámpara a mis pies, y luz en mi camino" (Salmo 119: 105).

¿Qué le parecen estas promesas? Personalmente creo que son las promesas más grandes y bellas que pueda escuchar una persona. De hecho, el libro de los Salmos está repleto de centenares de promesas como éstas. Hay muchas que son todavía más personales y llamativas que las que hemos citado.

Y si usted pasa unas páginas más adelante y busca el libro de Proverbios, encontrará consejos definidos para el estudiante, y también para cualquier persona que esté tratando de alcanzar alguna meta.

"El que labra su tierra se saciará de pan; mas el que sigue a los ociosos es falto de entendimiento" (Proverbios 12: 11, Versión Moderna).

"Todo hombre prudente obrará con ciencia; pero el insensato desparrama su necedad" (Proverbios 13: 16, Versión Moderna).

Así que ya puede ver. Se trata de trabajar intensamente y de dedicarse física y mentalmente a la realización de planes sabios y bien pensados, más una invariable fe en la capacidad de Dios para ayudarle, y con eso no fracasará.

Lo que usted ha expresado es interesante y útil. Convendría que comente a continuación qué más debe hacer un alumno para rendir un examen con éxito.

En primer lugar, debe tenerse en mente una meta definida, y

una indiscutible ambición de alcanzar esa meta.

Segundo, el estudiante debe luchar firmemente para alcanzar ese fin. Debe trabajar fuertemente y dedicarse a reunir y almacenar todo el conocimiento que pueda acerca de la materia que estudia.

Tercero, debe buscar la guía y la dirección del poder divino para que le ayude a alcanzar su blanco.

Estos son los factores fundamentales para el éxito al tomar cualquier examen, o en cualquier circunstancia en que haya que desplegar habilidad y destreza.

El examen

Ahora vamos a hablar del examen en sí mismo. Imaginemos que se trata de un examen escrito. El punto de partida en la preparación de un examen es: R-E-L-A-J-A-M-I-E-N-T-O.

Trate de controlarse en los primeros minutos. Nadie se lo va a comer vivo. El examen ha sido debidamente preparado, y en el momento en que usted entra al salón de exámenes, no podrá hacer nada para cambiar las preguntas que tendrá que contestar.

Siéntese; trate de sentirse cómodo; cierre los ojos; respire profundamente. Si lo desea, levante la vista hacia el cielo ya que las Sagradas Escrituras dicen: "De mañana escuchas mi voz; muy temprano te expongo mi caso, y quedo esperando tu respuesta" (Salmo 5: 3, Versión Popular).

Ahora lea cuidadosamente su examen. No se apresure. Léalo todo. Luego léalo por segunda vez. Subraye las instrucciones más importantes. Si tiene tres horas para contestar seis preguntas, eso significa que podrá dedicar treinta minutos a cada una.

No debe cometer errores innecesarios. Miles de estudiantes los cometen cada año y fracasan por no seguir debidamente las instrucciones. ¡Increíble, pero cierto! (Después culpan a los examinadores acusándolos de ser poco bondadosos e injustos.)

Seleccione las preguntas (si se puede hacer) que usted cree que puede contestar con más facilidad.

Observe su reloj y marque la hora cuando comienza a contestar cada pregunta y cuando debe terminar cada una. Reserve un poco de tiempo para hacer un repaso general al final.

¿Cuáles son los puntos claves para contestar las preguntas?

Básicamente los mismos de antes. Cada pregunta requiere que se extraigan los datos necesarios de la memoria. Por lo tanto, aplique el sistema que ha aprendido en las páginas anteriores. Escriba un corto resumen en un pedazo de papel.

Antes del examen, pida a Dios dirección espiritual y serenidad, para que la información pueda fluir libremente de los bancos de su memoria donde usted almacenó los conocimientos mientras estudiaba.

Si encuentra dificultades, cierre los ojos por unos momentos, trate otra vez de relajarse o piense en alguna otra pregunta por unos instantes. A continuación regrese al problema original y trate de recordar la información que necesita.

Anote los puntos principales del resumen tan rápidamente como pueda mientras van surgiendo de la mente con toda claridad y exactitud. No pierda ni un solo minuto.

Cuando ya tenga todo lo que necesita, trate de ordenarlo si le parece que no está en el orden debido.

Creo que es una buena idea escribir el resumen del que hemos hablado junto a la pregunta que se contesta. No olvide que los examinadores son seres humanos. Probablemente ellos tendrán que leer muchas respuestas similares a las suyas antes de terminar su labor de corrección de exámenes. Si ellos consideran que sus respuestas están debidamente ordenadas, que realmente conoce el tema que trata, que sus pensamientos también están en orden (como quedó demostrado en el resumen que puso junto a la pregunta), entonces tiene cierta ventaja sobre los demás. Se ganará el respeto de sus examinadores, y esto cuenta mucho en los exámenes.

Si usted es realmente listo tratará de escribir en forma bien legible. ¿A quién le gusta tener que estar forzando la vista para descifrar unas letras que no se pueden casi entender? Sea humano. Sea justo. De esta forma sus respuestas interesarán más al examinador. Después de todo, ésa es la persona a quien tiene que impresionar con sus respuestas.

Escriba sus respuestas de acuerdo con el resumen correspondiente que hizo. Use títulos, subtítulos y aun subtítulos secundarios, según hemos explicado previamente. Subraye los títulos y haga que se destaquen en la página.

Use libremente números, letras, etc.

Use suficiente espacio. Generalmente hay suficiente cantidad de papel.

Vigile su tiempo.

A menudo es conveniente dividir su tiempo entre las preguntas asignando cierta cantidad de minutos a cada sección de respuestas. Por ejemplo, si tiene 30 minutos para contestar una pregunta, y ésta se divide en tres secciones, asigne 10 minutos a cada sección. Es mejor aún que asigne ocho minutos en vez de diez a cada sección a fin de dejar seis para repasar al final. Aun cuando se cuide, a veces la presión del examen hace que conteste incorrectamente algunas preguntas. Si repasa brevemente sus respuestas, podrá corregir los errores cometidos.

Supongamos que haya algunas preguntas difíciles de contestar.

Si usted ha estudiado sistemáticamente, siguiendo el método que hemos recomendado, no es probable que encuentre preguntas fuera de su alcance. Sin embargo, si a pesar de todo encuentra una pregunta muy difícil, haga lo mejor que pueda y ajústese a los principios sugeridos. Aun cuando usted no haya estudiado mucho el tema de esa pregunta en particular, aplique el método.

Relájese, cierre los ojos por un momento, tome las cosas con calma. No se precipite y no permita que le dé pánico (si esto ocurre, no conseguirá recordar nada). Pida la dirección divina. Piense.

En muchos casos, por lo menos parte de la respuesta a una pregunta brotará del banco de su memoria. Escriba inmediatamente esos fragmentos que recuerda y haga lo mejor que pueda.

Finalmente terminará su examen. Sonará la campana y todo habrá concluido.

Una vez más, relájese. Respire profundamente una o dos veces para despejar otra vez la mente. Déle gracias a Dios y abandone el aula.

Una vez fuera, olvídese del examen, porque ya es algo del pasado. No vale la pena que siga pensando afanosamente en las preguntas que contestó. Eso en nada alteraría las respuestas, y tan sólo traerá aflicción por lo que se hizo mal o se dejó de hacer.

Vaya a su hogar y relájese. Haga algún ejercicio, tome una comida ligera y prepárese para disfrutar tranquilamente del resto del día. De esta manera se olvidará pronto de todos los afanes del examen. Después de todo, necesita renovar su vigor mental y preparar su intelecto para los próximos examenes.

Aprovechando nuestros talentos

Usted dijo anteriormente que la fijación de metas u objetivos tiene diferentes aplicaciones. ¿Quisiera ampliar un poco más esa idea?

Ciertamente. Yo creo que todo en la vida, según lo hemos declarado ya, es tan sólo una sucesión de metas programadas. Si todo se planifica cuidadosamente, tanto mejor. Una aplicación muy importante se puede resumir de la siguiente manera: "Cómo desarrollar los talentos".

Es innegable que la mayoría de la gente nace con algunas habilidades, aunque tarden mucho en manifestarse. Pero aparecen tarde o temprano (generalmente temprano). Puede ser que se trate de la habilidad para tocar un instrumento, para actuar en público o escribir, de la habilidad mecánica, de la facilidad con los números, o de una inclinación hacia el trabajo en el campo de la electricidad. De hecho, el campo es ilimitado. Esto tiene dos posibles resultados importantes.

¿Y cuáles son esos resultados?

Número uno: si un persona muestra habilidad fuera de lo común para hacer algo, sería muy bueno animarla a que siga en esa línea, porque ello puede convertirse finalmente en la carrera de su vida. Por supuesto que la persona se va a dar cuenta de esa facilidad que tiene y tratará de orientarse en esa dirección. Estas tendencias suelen manifestarse muy temprano, aun en la edad escolar.

Abundan los estudiantes adolescentes que todavía no saben cuál va a ser la carrera de su vida. Esto es lamentable pero es tristemente cierto. Por lo tanto, cuando estas aptitudes se vean en un niño, o en un adolescente, las mismas deben ser estimuladas por los padres y los maestros, y también por los otros miembros de la familia y los amigos.

En otras palabras, las inclinaciones naturales deben ayudar a una persona a determinar la profesión o carrera adecuada para ella.

¿Usted cree que la mayoría de las personas están satisfechas con el papel que les ha tocado representar en esta vida y la clase de trabajo que desempeñan?

La respuesta es un fuerte no. Si estuvieran contentas no habría tantas luchas y contiendas en la industria. La satisfacción en el trabajo parece ser algo que pertenece a una era ya pasada.

No sea como Enrique

Personalmente, creo que una persona que trabaja en una ocupación que no le agrada se siente descontenta y hasta frustrada.

Así es. Hay millones de personas en la misma situación.

Cuando yo era estudiante universitario me hospedé por algún tiempo en la casa de huéspedes de una señora (una mujer bondadosa, que si todavía está viva, deseo que Dios la bendiga), que eligió este tipo de trabajo para ganarse la vida.

En esa misma casa se hospedaba también un muchacho llamado Enrique. Todos los días, a las 7:30 de la mañana, con la exactitud de un reloj, Enrique salía en dirección a su trabajo. Ustedes pensarán que a él le gustaba su trabajo. Al contrario. Cuando llegaba a la fábrica de alimentos donde trabajaba, se ponía una capa de lluvia y unas botas grandes de goma. Luego entraba en un gran cuarto lleno de cebollas.

Ahí pasaba ocho horas pelando cebollas. Pelaba miles de cebollas. Todo el día se lo pasaba llorando. Tenía los ojos rojos, hinchados y adoloridos. Enrique odiaba ese trabajo y no sentía ninguna satisfacción por lo que hacía.

El caso es que él no tenía ninguna meta en su vida. No tenía visión del futuro, ni rumbo cierto, ni ambición, ni interés por nada. Estoy seguro de que Enrique tenía algún talento. Pero no quería molestarse en descubrirlo y desarrollarlo. Según decía, la vida no lo había tratado bien y por eso no tenía esperanza.

El punto que deseo destacar es que si usted tiene una habilidad innata para alguna cosa, debe apoderarse de ella con ambas manos. Desarróllela hasta lo sumo porque le resultará de mucha utilidad en su vida.

Trabajar en algo que a uno le gusta es una de las más grandes satisfacciones de la vida. Si el lector logra eso, se ahorrará las molestias y desencantos experimentados por Enrique.

Usted dijo que esto producía dos resultados.

Así es. De hecho, el segundo está muy relacionado con el primero.

Después de reconocer la existencia de una aptitud o interés especial, hay que tratar de encauzar eso hacia un fin útil.

Muchas ideas muy buenas y muchas buenas intenciones mueren en cierne, antes de producir fruto. Por eso, cada talento debe ser alimentado, fertilizado, regado y tratado con amoroso cuidado.

La historia de Jaime

Vamos a presentar otra historia de la vida real.

Jaime era un joven como todos los demás. Pero desde temprana edad tuvo la ambición de llegar a ser un escritor. Este era el único deseo de Jaime.

Cuando estaba en la escuela primaria, Jaime solía llevar a sus padres un periodiquito que él hacía, titulado *Noticias del Día,* escrito a mano por él mismo, con su imperfecta letra de niño.

Más tarde compró un dispositivo para imprimir con letras de goma montadas en bloques de madera. Con eso, el periodiquito *Noticias del Día* adquirió una apariencia más profesional, a pesar de que en cada página sólo tenía una docena de palabras.

Poco tiempo después, un aparato de goma y madera para montar tipos movibles mejoró mucho la apariencia del periódico. Ahora cada página tenía como cuarenta palabras que Jaime iba componiendo trabajosamente letra por letra. Empleaba toda una mañana para terminar una sola página.

Durante la guerra adquirió un equipo de tipos metálicos movibles. Un día, un señor que había sido maestro de escuela suyo visitó su casa, leyó el periodiquito y se impresionó por la iniciativa de Jaime. Como resultado le dio una suma de dinero para que pudiera comprar un equipo mejor. Con esto el periodiquito experimentó un nuevo progreso.

Cuando Jaime entró en la escuela secundaria, fundó un periódico escolar semanal que cautivó a sus compañeros. Las aventuras emocionantes que aparecían en el periódico fascinaban a todos.

En ese tiempo, los directores de periódicos de la ciudad estaban siendo acosados constantemente por el envío de relatos, artículos y otros materiales editoriales acerca de diferentes temas. Muchos de ellos realmente eran impublicables. Pero Jaime insistió. El había escrito y vuelto a escribir sus artículos con mucho cuidado, hasta media docena de veces, a fin de ponerlos en condición de que se los aceptaran. Pero a pesar de eso siempre se los rechazaban.

Según avanzaban las clases en la escuela secundaria, el periódico de la clase fue aumentando poco a poco hasta llegar a cincuenta páginas. Por fin, inesperadamente, llegó el día en que un director muy comprensivo publicó uno de los artículos de Jaime. Eso fue como echarle gasolina al fuego. La explosión se produjo. Entonces empezaron a surgir miles y miles de copias de la máquina de Jaime aunque todavía algunos no propios para ser publicados.

Para ese tiempo ya Jaime había aprendido a escribir a máquina con bastante velocidad, y lo había hecho por sí mismo. Poco a poco fueron apareciendo más artículos firmados por él. Como todo aspirante a escritor sabe, no hay nada tan agradable como ver el propio nombre de uno impreso en letras de molde. Y Jaime no era una excepción.

Le siguieron publicando artículos y relatos. La familia de Jaime no aprobaba los temas de los artículos. Eran personas religiosas y no estaban muy de acuerdo con ese estilo de escribir que tenía Jaime en que reflejaba, mediante sus personajes ficticios, un concepto de la vida un tanto frívolo.

Pero Jaime tenía un apasionante deseo de que millones de personas, no solamente miles, leyeran sus artículos. Cada nuevo periódico que publicaba sus escritos constituía el ascenso de un escalón más de la escalera hacia el éxito. De esto él no tenía la menor duda. "Estoy seguro de que puedo influir sobre las multitudes —decía muy a menudo—. No hay duda en cuanto al tremendo poder de la prensa. No descansaré hasta que cada persona en este país lea regularmente mis artículos".

Más artículos, más columnas. Finalmente logró algo que fue como si hubiera obtenido el premio gordo. Una cadena de periódicos decidió publicar sus artículos en forma regular. A continuación, un gran número de revistas empezaron a reproducir esos artículos también en forma regular. Algunos periódicos dominicales igualmente publicaron sus artículos en sus ediciones de fin de semana. Después llegaron los contratos para la televisión. Luego otras proposiciones para escribir libretos para la televisión. Más tarde, contratos para escribir para la radio, para escribir libros, más artículos. Al fin los sueños de Jaime se hicieron realidad.

Había una gran diferencia entre aquella pequeña edición infantil de *Noticias del Día,* iniciada cuando tenía ocho años de edad, y la gran cantidad de artículos publicados en los más importantes periódicos y revistas del país.

"Pero yo sabía que sólo era asunto de tiempo —dice ahora Jaime—. La meta estaba allí. Yo estaba preparado para trabajar fuertemente, largamente, y con una inspiración muy elevada. Tenía la seguridad de que Dios me iba a ayudar. ¿Cómo podría pensar en el fracaso?"

Es muy interesante el caso de Jaime.

Ciertamente. Es una historia verdadera, porque yo conozco muy bien al protagonista de ella. Para mí es un ejemplo de lo que puede ocurrir cuando se tiene un talento, y se decide desarrollarlo hasta lo sumo. Jaime no cambiaría su papel en la vida por nada de este mundo. Ha conseguido un elevado grado de satisfacción personal derivada del trabajo que realiza.

Aunque hace tiempo alcanzó su meta de llegar a ser un escritor de fama nacional, todavía sigue esforzándose por alcanzar nuevas metas, y las está alcanzando una a una.

Metas para todos

Está muy bien lo de Jaime. ¿Pero cómo se aplica todo eso a Guillermo González, Samuel Jiménez y a Pedro Gómez? En fin, ¿cómo se pueden aplicar las instrucciones dadas al hombre promedio de la calle?

Pues se aplica exactamente de la misma manera. Como ya he dicho antes, todo el mundo, aun el pobrecito Enrique, el que pelaba cebollas, tiene alguna habilidad natural. Sólo es asunto de descubrirla y encauzarla debidamente hacia el éxito.

El éxito sin duda vendrá con un poco de esfuerzo, impulso, aplicación, incentivo y entusiasmo.

¿Piensa usted que la necesidad de ganar dinero entra también en cierto sentido en este cuadro?

Por supuesto que sí. Hay muchos jóvenes que tienen sus ojos puestos en el enriquecimiento rápido, a tal extremo que eso les puede nublar un poco su visión del futuro. ¿De qué sirve obtener ganancias financieras momentáneas si ello afecta las ganancias financieras permanentes que necesitamos en la vida?

Es mucho mejor trazar una meta importante que nos dé beneficios provechosos por mucho tiempo. Tratar de conseguir trabajo cuando se llega a la edad legal en que se puede abandonar la escuela tan sólo por ganar unos pocos dólares es un razonamiento necio y un planear sin inteligencia. Por supuesto, en muchos casos los problemas financieros domésticos obligan a algunos a hacer esto.

Pero en estos días, cuando en muchos países hay tantas facilidades educativas ofrecidas por el gobierno, las oportunidades de triunfo y de alcanzar una meta más amplia son muy grandes. En realidad, aun los jóvenes que viven o se desarrollan en las condiciones más pobres pueden adquirir una educación de colegio secundario. Es tan sólo un asunto de aplicación y esfuerzo si realmente existe el deseo y se tiene capacidad natural para aprender.

Resumiendo esta sección, veo que usted cree firmemente que cada persona tiene capacidad suficiente para escoger un trabajo conforme a su vocación particular, y para desarrollar también el talento latente que hay en ella hasta convertirlo en la carrera de su vida.

Sobre esto no tengo la menor duda.

Innegablemente hay también otros temas relacionados con este que podríamos comentar ahora. ¿Pero qué le parece si dedicáramos otro capítulo a su análisis?

Me parece que es una idea muy acertada. Así que, amigo lector, tome ahora un breve respiro, porque yo también voy a tomar el mío.

Pero vuelva otra vez y vamos a discutir un tema que puede ser de vital importancia para su bienestar futuro, y su felicidad.

12

El aumento de las enfermedades sociales

En estos días de creciente inmoralidad, escuchamos cada vez más acerca del aumento de las enfermedades venéreas.

Lamentablemente, así es. Las enfermedades transmitidas por las relaciones sexuales están llegando a niveles muy peligrosos. No solamente en un país, sino en todo el mundo.

¿Pero, qué son realmente las enfermedades sociales o venéreas?

Hay una larga lista de ellas; pero las principales son la gonorrea y la sífilis.

El origen de la palabra "venérea" se puede trazar hasta la antigua mitología en la cual Venus era conocida como la diosa del amor. Las relaciones sexuales con una persona infectada son el medio de propagación de estas enfermedades. Me temo que esto no habla muy bien de la diosa del amor.

¿Ha dicho usted que las enfermedades venéreas están aumentando rápidamente?

Así es. Poco después de la Segunda Guerra Mundial las enfermedades empezaron a declinar definidamente. Declinaron tanto que los médicos empezaron a considerarlas como algo de otra época. Sin duda que eso se debió a que durante la guerra se desarrollaron los antibióticos.

Esto hizo pensar que los antibióticos curarían todas las enfermedades venéreas. La gonorrea, por ejemplo, se curaba maravillosamente. Con una sola inyección de penicilina el enfermo se curaba rápidamente. También se curaba muy bien la sífilis. Empezaron a acortarse las filas interminables de personas que buscaban tratamiento en las clínicas.

Indudablemente esto complació mucho al público y a los médicos.

La gente se tornó indiferente hacia las enfermedades venéreas. Los agentes transmisores de la enfermedad se volvieron resistentes a la penicilina y a otros antibióticos. Esta resistencia contra los medicamentos en uso se fue generalizando en el mundo, lo que hizo más difícil el tratamiento de estas enfermedades.

La Organización Mundial de la Salud ha declarado que en la actualidad cerca de cien millones de personas contraen cada año la gonorrea. Se la considera como la segunda enfermedad entre las enfermedades contagiosas más comunes después del sarampión. Pero se piensa que por cada caso de esta enfermedad que se informa, hay cinco que permanecen sin informarse.

El cuadro es más o menos el mismo en cuanto a la sífilis, aunque las cifras no son tan altas. Sin embargo, la sífilis es aún más traicionera, y si no se la trata en la debida forma, puede causar serios problemas.

Se considera que en el mundo hay más de veinte millones de personas que sufren de sífilis. Esto representa 90 por ciento de aumento sobre el cuadro de la pasada década. Pero como muchos casos no se informan a las autoridades pertinentes, se desconoce el número real de personas que padecen esta enfermedad. También han aumentado otras enfermedades transmitidas por las relaciones sexuales.

¿Cuál es la causa?

¿Qué ha motivado esta súbita explosión de enfermedades venéreas?

Todo el mundo está buscando una respuesta a esta pregunta. Los dos puntos antes mencionados son muy importantes. Pero se añade a esto el hecho de que ahora se pueden conseguir fácilmente diferentes medios modernos para el control de la natalidad. Cualquiera que los desee los puede conseguir.

En un artículo editorial de una revista médica se leía lo siguiente: "A pesar de las preocupaciones morales que manifiestan diversos religiosos y científicos, la píldora, los pesarios anticoncepcionales, los dispositivos intrauterinos, las gelatinas, las cremas, y otros recursos anticonceptivos, pueden ser comprados fácilmente por adolescentes y mujeres adultas no importa cuál sea su condición social. Aun el gobierno y las agencias de salud las

ofrecen a los ciudadanos en las zonas superpobladas del mundo''.

Y sigue diciendo el escritor: ''A menos que se tomen urgentes medidas, las ventajas que se han logrado a través de la difusión de los modernos métodos contraceptivos podrían quedar contrarrestadas por la manera rápida como se están esparciendo por todo el mundo las enfermedades venéreas''.[1]

Permítaseme citar algo más de las declaraciones de esta autoridad en la materia. ''Hoy existe una actitud permisiva generalizada. Las relaciones interpersonales son superficiales. La gente viaja mucho y va esparciendo las enfermedades por los lugares que visita... La fuente original de contagio es por lo tanto difícil de establecer en particular por el hecho de que en las mujeres apenas se notan los síntomas de las enfermedades venéreas. La resistencia a los antibióticos ha ido aumentando, pero el asunto es aún peor en el Lejano Oriente y en lugares como Vietnam... La homosexualidad masculina y la prostitución no supervisada, de parte de ambos sexos, son una permanente fuente de infección''.[2]

Según el parecer de los expertos, la situación va empeorando cada vez más. Está escapando del control de las autoridades sanitarias.

¿Cuál es el problema médico principal en relación con las enfermedades venéreas?

En la infección se producen dos efectos posteriores.

Primero está el resultado inmediato de la infección. Esto produce por supuesto muchísimas incomodidades a la persona. Pero tal vez lo más importante y peligroso de todo son los efectos de largo alcance. Ambas enfermedades pueden producir consecuencias muy graves. Como ha dicho un famoso escritor: ''Los efectos prolongados de debilitamiento que causan las enfermedades venéreas son superiores a los de cualquiera otra enfermedad''.[3]

Los archivos médicos contienen miles de casos de esterilidad, de enfermedad de casi todos los órganos del cuerpo y, en el caso de sífilis, de locura sobrevenida muchos años después del contagio inicial.

La gonorrea

Consideraremos estas dos enfermedades por separado y las analizaremos en detalle. Como la gonorrea parece ser la más grave de las dos, vamos a empezar con ella.

La gonorrea es causada por un organismo microscópico que tiene dos mitades (un diplococo). Oficialmente estos gérmenes son conocidos con el nombre de *Nesseria gonorrhoeae*.

En todos estos casos el factor determinante es siempre el contacto sexual. Entre cuatro y diez días después de la infección, el contagiado experimenta dolor al orinar y observa una secreción purulenta que sale del pene. A veces se produce un dolor fuerte. La secreción puede ser bastante copiosa. Es de color amarillento y puede tener un tinte verdoso. Al apretar el extremo del pene sale una cantidad considerable de esta materia. Cuando la infección no es grave, sólo se ve salir una pequeña cantidad de pus. El paciente puede tener o no palidez y a veces se le hinchan las glándulas de la ingle.

En el caso de la mujer, la infección comienza generalmente en la uretra, la vagina o las glándulas vaginales. También en ella se produce dolor al orinar y emisión de pus. A menudo la infección se extiende a los órganos adyacentes. Si el lector consulta las ilustraciones de la pelvis femenina que aparecen en las páginas anteriores de este libro, verá que la infección puede propagarse fácilmente de un órgano a otro, debido a la proximidad en que se encuentran. Hay un conducto directo a través del cual la infección se esparce.

Generalmente el gonococo (agente transmisor de la enfermedad) se desplaza del conducto vaginal hacia el útero, para introducirse luego en las trompas y en la cavidad pélvica. Allí infecta los ovarios y se esparce a los órganos cercanos.

Una infección muy grave se generaliza inmediatamente por toda la zona. Entonces aparecen dolor abdominal, dolores pélvicos, fiebres altas y muchos otros síntomas. Las manifestaciones más graves de infección ocurren en el torrente sanguíneo (septicemia), en el corazón (endocarditis) y en las coyunturas (artritis).

El germen ataca los ojos y en muchas ocasiones se producen casos graves de conjuntivitis supurativa, y hasta puede sobrevenir la ceguera total. Esto resulta aún más grave cuando una madre que padece de gonorrea da a luz un hijo. Las infecciones en los ojos de los niños a menudo causan ceguera en pequeños inocentes que no tienen culpa alguna de su enfermedad. Esta es una tragedia para la cual no hay justificación.

¿Qué es lo mejor que se puede hacer cuando una persona queda infectada?

Se debe buscar inmediatamente asistencia médica. En algunos países es una obligación legal hacerlo y la persona que no lo haga es castigada por la ley.

El enfermo puede consultar al médico de la familia si así lo desea. Un diagnóstico cuidadoso revelará la naturaleza de la enfermedad y así el médico puede prescribir el tratamiento necesario.

Como suele suceder, la gonorrea generalmente viene acompañada de otras infecciones venéreas. Estas diversas enfermedades deben ser investigadas y tratadas al mismo tiempo que la gonorrea.

A pesar de que todavía se considera a la penicilina como la mejor de las medicinas para la curación de la gonorrea, en el futuro pueden aparecer otros medicamentos más eficaces. En la actualidad hay varios antibióticos que están resultando muy efectivos contra los gonococos. Gracias a esto, la mayoría de los casos de esta enfermedad se pueden curar en poco tiempo.

Se recomienda seguir el tratamiento hasta que la cura se haya realizado totalmente. Confíe en su médico y déjese guiar por su consejo. Es muy importante que se someta a la terapia que él recomiende.

¿Son los médicos de familia los únicos que pueden dar estos tratamientos?

No. Hay muchos lugares en que se puede recibir este tratamiento. Prácticamente en todo hospital grande hay una clínica de enfermedades venéreas. Los hospitales pequeños también administran tratamientos a pacientes externos. Además de esto, en muchas ciudades grandes el gobierno ha establecido clínicas especiales que generalmente están en lugares céntricos de la ciudad. En ellas se realizan diagnósticos muy cuidadosos, se da el tratamiento debido y se sigue luego con la terapia necesaria por tiempo indefinido y sin costo alguno para el paciente.

Debido a la naturaleza grave y contagiosa de las enfermedades venéreas cuando escapan del control médico, algunos gobiernos prestan mucha atención a los programas de erradicación de las mismas. Las autoridades gubernamentales tratan por todos los medios de averiguar dónde se producen casos de enfermedades venéreas para aplicarles el tratamiento correspondiente antes que se esparzan. Se procura encontrar la fuente de infección, ya que el peligro de contagio se mantiene, a menos que se cure al enfermo.

A los gobiernos no les interesa tanto el aspecto moral de la situación, como el tratamiento del mal. Al paciente se le garantiza absoluta reserva, y cada caso es tratado muy privadamente y en forma muy confidencial. Por eso el enfermo de gonorrea debiera acudir sin temor al consultorio del médico para recibir tratamiento.

La sífilis

Ahora vamos a hablar de la sífilis que es otra enfermedad muy común.

Esta enfermedad es causada por un agente denominado *Treponema pallidum*. El contagio viene por la relación sexual. En muy raras ocasiones el contagio se produce por otros medios. Los casos más graves de sífilis son los congénitos, esto es, la infección de los hijos por las madres sifilíticas. El bebé, por lo tanto, hereda la enfermedad.

¿Cómo puede una persona reconocer que ha contraído esta enfermedad?

La sífilis tiene diferentes etapas y los síntomas varían según el caso. Los síntomas de la sífilis suelen manifestarse de una a ocho semanas después que se tiene contacto sexual con alguien que está infectado.

La enfermedad se puede identificar mediante una pequeña llaga, el chancro sifilítico, que aparece generalmente en las regiones genitales; en el hombre en el pene, y en la mujer en la vulva. En la mujer puede ser que no se note fácilmente debido a que la llaga se produce en el interior de la vagina. Pero las glándulas cercanas tienden a hincharse y a ponerse muy sensibles.

En esta etapa es muy fácil hacer un diagnóstico con mucha exactitud. Se extrae materia infectada de las llagas y se la examina en el laboratorio, para descubrir la presencia del agente transmisor de la enfermedad, el *Treponema pallidum*. Este tiene la apariencia de un tirabuzón o sacacorchos.

Hay otras pruebas que se conocen con el nombre de exámenes cuantitativos complementarios de fijación y exámenes de floculación (en los que se usan muestras de sangre), que dan resultados positivos cuando se trata de una infección de sífilis.

Luego viene la sífilis secundaria. El primer chancro desaparece. Antes se creía que, cuando el chancro desaparecía, ya la sífilis estaba curada, pero se ignoraba que esto es algo que ocurre

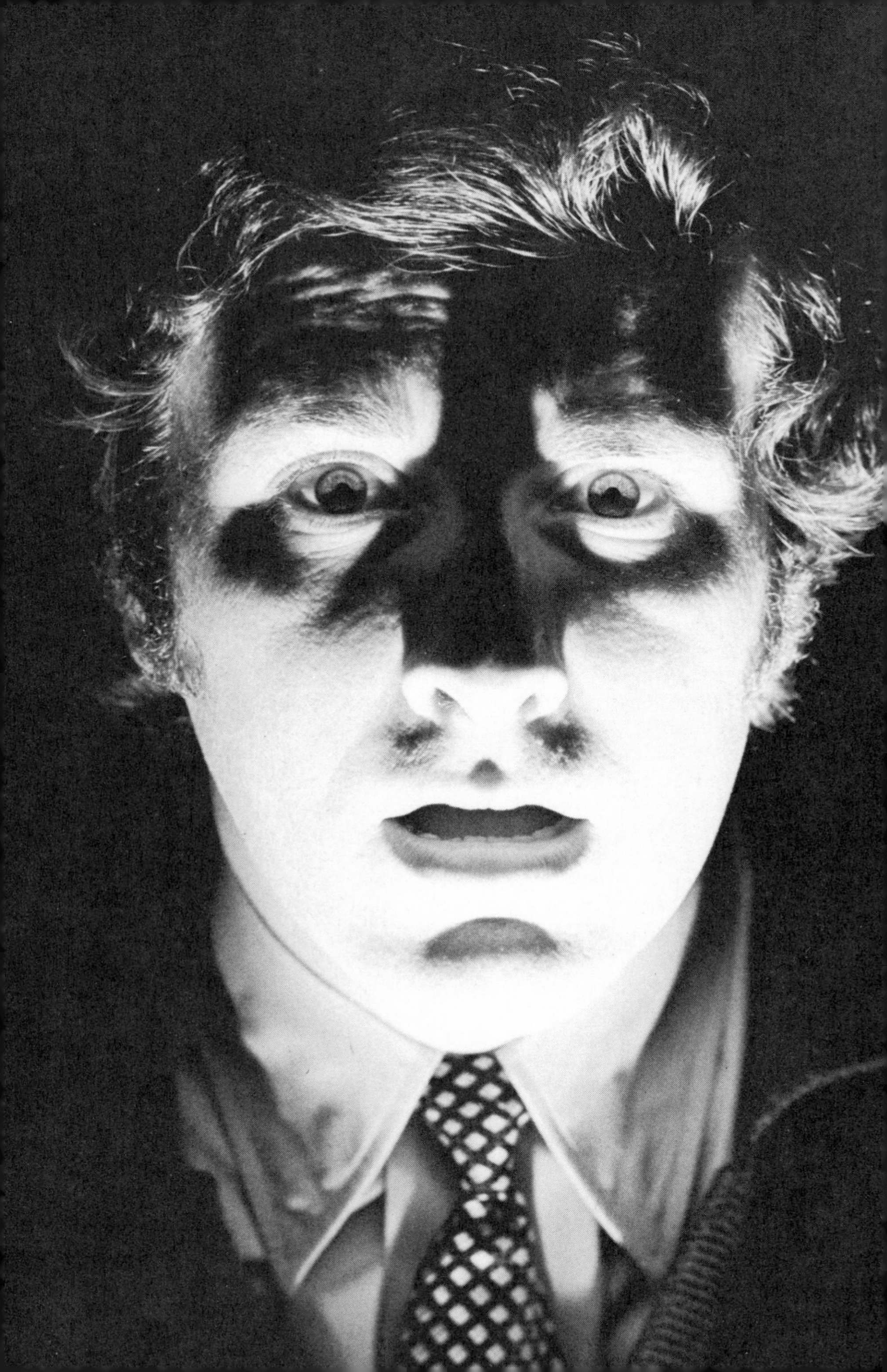

naturalmente, con tratamiento o sin él, dentro de la evolución de la enfermedad.

La etapa secundaria de esta enfermedad es muy notable y a menudo afecta otras partes del cuerpo. Generalmente comienza de dos a tres semanas después que aparece la primera úlcera o chancro. Muchas glándulas linfáticas del cuerpo se hinchan. Aparece una erupción de la piel en alguna parte del cuerpo y a veces en todo el cuerpo. Algo muy característico es la falta de picazón a pesar de estas erupciones. La mayor parte de las irritaciones de la piel producen una molesta picazón, pero no ocurre tal cosa en las irritaciones de la sífilis.

La nariz y los conductos interiores de la misma se inflaman, los ojos se irritan, y se pueden experimentar dolores en las coyunturas. Una vez más los análisis revelan la presencia de los microorganismos en las erupciones de la piel. Los exámenes de la sangre dan también resultados positivos.

¿Y luego qué pasa?

Aquí es donde ocurren los problemas para el que se descuida. La enfermedad en esta etapa se afirma en el cuerpo. Las señales de la segunda etapa desaparecen y no se ven evidencias externas de la enfermedad por ninguna parte. Pero el agente infectante, silenciosamente se va afincando en el organismo y va haciendo su diabólica obra de destrucción. Prácticamente ningún órgano del cuerpo se libra de este ataque terrible. Es asombroso ver cómo la enfermedad va trabajando ocultamente hasta que logra ser detectada mediante exámenes muy especiales.

Finalmente viene la tercera etapa o sífilis terciaria. Esta puede tomar de dos a veinte años para desarrollarse. Cualquier órgano o varios órganos pueden quedar afectados. Luego van apareciendo alternadamente algunas lesiones llamadas goma sifilítico o sifiloma.

El goma afecta especialmente la piel y las mucosas. El agente de la sífilis invade las coyunturas y va produciendo graves inflamaciones tales como periostitis, artritis, sinovitis y osteomielitis.

Los treponemas pueden atacar también los ojos afectándolos totalmente. Cualquier parte del cuerpo puede ser afectada. Ni siquiera el corazón ni los vasos sanguíneos son inmunes. El aneurisma aórtico es algo que rara vez se ve en la actualidad, pero ocurría frecuentemente hace diez o veinte años. Puede producirse cuando la aorta es afectada por la enfermedad. En estos casos se forma una hinchazón en la pared de la aorta y cuando ésta revienta llega a ser prácticamente un certificado de defunción para la persona. La sangre se esparce por todas partes y el paciente muere rápidamente como resultado de la hemorragia interna.

Hay otra complicación grave que se presenta cuando los treponemas atacan el cerebro. Es lo que se conoce como neurosífilis. La persona neurosifilítica desarrolla una condición que se conoce como *tabes dorsal* la que posteriormente se convierte en un estado de *demencia paralítica*.

En esta condición el paciente pierde el dominio completo de sus poderes mentales y hasta de sus recursos físicos. En resumen, se convierte en un vegetal completamente inútil para sí mismo y para los demás.

Este es un cuadro impresionante de lo que en el pasado ocurría, a la larga, a muchas personas que padecían de sífilis. No hay la menor duda de que en el futuro esta situación se va a repetir a medida que la enfermedad se vaya esparciendo cada vez más.

¿Cuán efectivo es el tratamiento de la sífilis?

Al igual que con la gonorrea, la atención médica inmediata y un tratamiento adecuado rinden buenos resultados. El paciente debe continuar con el tratamiento hasta quedar totalmente curado.

La penicilina, a pesar de que se la viene usando durante muchos años, se la considera como una droga efectiva en estos casos. Hay otros antibióticos que se usan también con muy buenos efectos. A la menor sospecha de la presencia de la sífilis es completamente necesario que se consulte al méico para el correspondiente tratamiento. El mejor lugar adonde se puede acudir para esto es cualquier clínica especializada de las que el gobierno ha establecido, y en donde se ofrecen servicios gratuitos. El principal interés del gobierno en estos casos es el de detener el esparcimiento de la enfermedad. En estas clínicas se puede tener completa seguridad de que todo caso va a ser tratado en secreto y que tampoco van a reprender a nadie dándole lecciones de moral. (Aunque no sería mala la idea de dar a los pacientes algunas orientaciones sobre este aspecto.)

¿Cuáles son las probabilidades de recurrencias?

Lamentablemente son muy altas. Muy a menudo se da un tratamiento incompleto a un paciente, y en ese caso la recurrencia no es otra cosa que la consecuencia de una enfermedad tratada indebidamente. Mirando el patrón general que rige en los casos de esta enfermedad, algo más común todavía es que la persona que contrae una enfermedad venérea por primera vez es la misma que luego la contrae una segunda vez, una tercera, y hasta una cuarta. Es increíble, pero hay gente que nunca aprende.

Las relaciones sexuales frecuentes con diferentes personas es uno de los medios más comunes para contraer la enfermedad. Por otra parte, quienes se mantienen fieles a su lecho matrimonial, rara vez contraen enfermedades venéreas.

¿Qué consejo tiene para nuestros jóvenes lectores?

Sencillamente éste. Las enfermedades venéreas son algo que se puede prevenir perfectamente. Si usted tiene normas morales elevadas en su vida, podrá estar completamente seguro de que no contraerá nunca esta enfermedad. Pero si vive indisciplinadamente, si tiene relaciones sexuales frecuentes, y se asocia con personas de conducta dudosa, probablemente en poco tiempo va a enfrentar serios problemas.

Casi cada semana viene a mí alguna paciente que desea tener un hijo pero no puede. Muy a menudo, al hacerle los exámenes descubro que en sus primeros años padeció alguna enfermedad venérea. Encuentro que los tubos se han sellado. A veces es una cosa sencilla, pero en muchas ocasiones puede producirse un caso de esterilidad permanente. Aunque haya tenido "una sola" experiencia sexual en su vida, esto es suficiente para producirle grandes sufrimientos mentales por el resto de su existencia. (Hace tiempo que yo he llegado a la conclusión de que, si hay algo peor que el caso de una mujer que tiene demasiados hijos, es el de la mujer que no puede tener ninguno.) No se piense que después de recibir la terapia moderna se podrá hacer todo lo que se quiera. Ciertamente que ésta ayudará muchísimo a combatir la enfermedad. Pero para cuando se haya curado ya el cuerpo habrá recibido bastante daño. Además, ¿quién desea tener un organismo que ha sido llenado por estos diabólicos gérmenes?

Las Sagradas Escrituras desaprueban la conducta del adúltero y del fornicario. Entonces, ¿por qué no guiar la vida por los consejos tan útiles que hay en ellas? Siga fielmente estas instrucciones divinas y nunca tendrá problemas de esta índole. Las relaciones sexuales pertenecen en forma legítima al matrimonio.

Quien se mantiene fiel a su compañero o compañera, nunca tendrá problemas después de la ceremonia matrimonial.

---

1. *Medical Journal of Australia*, 2-759, 1970.
2. *Ibíd.*
3. *Ibíd.*

13

El sexo artificial

Como hemos explicado en los primeros capítulos de este libro, el sexo tiene una parte muy importante en la vida del adulto. Aunque su función principal es permitir la reproducción, es además una parte integrante del matrimonio normal. ¿De acuerdo?

Resumiendo, las relaciones sexuales son una parte normal, vital y emocionante del ritual que sigue al matrimonio. Los que tienen ideales cristianos consideran que el mismo es uno de los más hermosos dones de Dios a la humanidad. Su importancia no está sólo en los placeres momentáneos que ofrece, sino sobre todo en el gran efecto de unir al esposo y a la esposa en un vínculo cada vez más estrecho. ¿No le parece que esto es un resumen bastante correcto del papel del sexo en el matrimonio?

Muy bien expresado. Sin embargo, como en todas las cosas de la vida, el abuso y la exageración han desfigurado la belleza y la significación del sexo. Se han introducido numerosas prácticas anormales y contrarias a la naturaleza. Es importante que nuestros jóvenes lectores estén conscientes de esto.

Al presentar esto nos apresuramos a decir que no estamos aprobando las prácticas a las que hemos aludido. De hecho, las desaprobamos. Estando debidamente advertidos y preparados, es posible evitar caer en la práctica de estas anormalidades.

Relaciones sexuales antinaturales

Los dos aspectos principales que queremos presentar son los siguientes: (1) Masturbación y (2) Homosexualidad.

Vamos a empezar considerando la masturbación, que es una práctica bastante común.

En términos sencillos, la masturbación es la estimulación manual del pene en el hombre y del clítoris en la mujer hasta el punto de producir el orgasmo.

Tanto los hombres como las mujeres practican esta actividad, pero en los hombres es más común. La misma anatomía del varón parece favorecer este entretenimiento al cual se le ha dado diversos nombres.

El varón suele cultivar fantasías eróticas. Desde los primeros años de la adolescencia, los dramáticos cambios psicológicos y fisiológicos que se producen se prestan para que se desarrolle un gran interés en todo lo sexual.

De momento el joven se da cuenta de que va creciendo, que es un varón completo, y que en él se está realizando un rápido desarrollo sexual. El pene y los testículos también alcanzan gran desarrollo. Empiezan a aparecer pelos en la región genital, en el pecho, en la cara y en las axilas. Todo esto puede ocurrir con bastante rapidez.

Realmente, en unos dos años, o tal vez en menos tiempo, cualquier jovencito puede desarrollarse y convertirse en un adulto normal. Pronto empieza a sentir atracción hacia las muchachas. Cuando el sistema hormonal empieza a activarse y se depositan los espermatozoides en las vesículas seminales, quedando ahí sin tener a dónde ir, empiezan los muchachos a tener los llamados "sueños mojados" por las noches. Generalmente estos sueños van asociados con escenas eróticas y con el acto sexual mismo, todo lo cual produce una serie de sensaciones muy agradables. No le toma mucho tiempo a un joven descubrir que puede reproducir esas experiencias sensuales con tan sólo estimular físicamente los órganos genitales.

De hecho, en cualquier momento de los primeros años de la adolescencia (esto varía con el desarrollo personal de cada joven), se puede producir el orgasmo. Esto significa que el muchacho que está en desarrollo se halla ya capacitado para dejar embarazada a una mujer. Significa también que puede producir el orgasmo mediante la estimulación del pene.

¿Cuán común es la masturbación en los muchachos?

Este es un asunto que los investigadores han estudiado durante muchos años. Algunos han encontrado que 90 % la han practicado en algún momento de sus vidas. Otros afirman que el restante 10 % —los que dicen que nunca lo han hecho— realmente están mintiendo. Muchos ven en esto la reacción del adolescente a los cambios fisiológicos que ocurren en su cuerpo y a las nuevas sensaciones que pueden experimentar. Así por lo tanto dicen que es parte del desarrollo de la persona.

¿Y qué ocurre finalmente?

Hablando en términos generales, se piensa que la masturbación es una fase transitoria en la vida de los jóvenes. Algo que dura un poco de tiempo y luego se deja de practicar según la personalidad del joven va madurando.

Como regla general, cuando una persona se casa, termina la práctica de la masturbación y comienzan las relaciones sexuales. Estoy seguro de que el sexo artificial es algo que no tiene que continuar después que la persona se ha casado.

¿Se piensa que la masturbación hace daño a la persona que la practica?

No puede darse en cuanto a esto una respuesta absolutamente cierta. No hay pruebas suficientes y se ha hecho muy poca investigación en este sentido. Pero la verdad es que se trata de algo contra la naturaleza, que desarrolla un indebido y exagerado interés en el sexo. La hipertrofia de la próstata es un problema muy común en los hombres de edad avanzada. La próstata, según mencionamos en los capítulos anteriores (vea nuevamente las ilustraciones para refrescar su memoria), es una pequeña glándula situada justamente debajo de la vejiga. A través de ella pasa la uretra, que es un pequeño tubo por donde sale la orina de la vejiga.

A medida que la vejiga aumenta en tamaño, la próstata presiona hacia arriba, oprime a la vejiga y disminuye su capacidad. Al mismo tiempo reduce el diámetro de la uretra que pasa a través de ella. Esto puede producir graves problemas, y a veces hasta se hace necesaria una intervención quirúrgica.

Además de esto, la próstata constituye un terreno propicio para el cáncer en el hombre. Estos casos comienzan al principio como una hipertrofia o crecimiento de la misma. Algunos médicos creen que la práctica regular de la masturbación puede predisponer para una temprana y grave hipertrofia prostática con todas sus complicaciones y riesgos.

Por lo tanto parece que esto viene a constituir un punto a favor de la abstinencia de este hábito.

De acuerdo. En cuanto a si esto es cierto o no, tal vez nunca lo sabremos. Pero ¿por qué razón jugar con fuego?

¿Ha dicho usted que los problemas inmediatos son también otro argumento contra el hábito?

Ciertamente. Al entregarse a estos placeres (según se los suele llamar, y aun esto es dudoso) es muy fácil desarrollar una inclinación hacia el sexo que puede ser difícil de controlar. Es un hecho que cuanto más se practica el hábito, más pensamientos sexuales y eróticos estarán en nuestra mente. No hay nada que afecte tanto el pensamiento normal de un individuo como tener la mente llena de fantasías sexuales. Si la maquinaria mental del joven es constantemente activada con esta clase de material erótico, es innegable que a la larga desarrollará un enfoque de la vida impuro e inmoral.

Según hemos dicho antes, las Sagradas Escrituras enseñan que "cual es su pensamiento ..., tal es él". Déjese a una persona llenar su mente de pensamientos impuros y llegará a ser inevitablemente una persona impura. Algunos jóvenes llenan su mente de tantos pensamientos eróticos que hasta se les hace difícil estudiar, y fracasan en sus exámenes. Su poder normal de concentración se debilita. Todos sus conceptos, y cada hora de su vida, se llenan fácilmente de pensamientos impuros acerca del sexo opuesto. Para el estudiante que trata de avanzar en sus estudios y de lograr una carrera que le dé una forma decente de vivir la vida, esto es algo muy perjudicial.

Yo creo que la actividad sexual debe ser dejada para después del matrimonio. Cuando se está casado y hay respeto y amor por su compañero o compañera, entonces el sexo cobra un valor muy significativo. Pero practicado en una forma carnal y erótica no se logra este objetivo. Guarde esto para el momento en que tendrá más significado para usted y para su esposa.

Hay médicos que creen que la constante práctica de la masturbación puede reducir la sensitividad de los nervios del glande del pene. Y esto naturalmente reducirá el placer sexual. Posiblemente esto sea también una razón más para abstenerse de la masturbación.

¿Es esto diferente en el caso de la mujer?

Es muy fácil estimular el clítoris hasta lograr que se produzca el orgasmo. Se puede hacer de diferentes maneras. El resultado siempre es el mismo. Se produce una sensación muy placentera. Pero una vez más esto es todo transitorio. No hay calor humano, no hay afecto, no hay amor intrínseco envuelto en esta práctica. Es solamente un medio, y en este respecto tiene mucho en común con el drogadicto que sólo busca una gratificación personal.

Las muchachas que caen en esta práctica de la masturbación también desarrollan un desmedido interés en el sexo opuesto. El erotismo llena sus mentes con la exclusión de otros aspectos muy importantes de la vida.

Es mejor dejar las actividades sexuales para cuando llegue el momento normal de desarrollarlas plenamente. Entonces significará mucho para usted. Una de las cosas más importantes de la vida es la disposición a compartir con otros. En este sentido el sexo representa lo ideal. El compartir con otro, el darse uno mismo a la persona con quien se está unido emocionalmente en el más amplio sentido de la palabra, representa lo más grande en el verdadero amor. Y todo esto viene después del matrimonio.

La homosexualidad

Usted dijo que la otra anormalidad era la homosexualidad.

La homosexualidad es una relación sexual extraña y los investigadores están todavía tratando de descubrir cuál es la causa fundamental que la motiva. Pero esta situación existe actualmente y está aumentando en gran manera. De esto no hay duda.

Todo esto significa que, además de la relación sexual normal entre hombre y mujer, cada vez se están practicando más las relaciones homosexuales, de hombre con hombre y de mujer con mujer. Es evidente que existen dos posibilidades: a) Actividades sexuales entre mujeres, conocidas por el nombre de lesbianismo. b) Actividades sexuales entre hombres, conocidas por el nombre de homosexualidad.

Díganos algo más acerca del lesbianismo.

Esta situación ocurre cuando dos mujeres sienten atracción sexual mutua. Puede ocurrir a cualquier edad, y el hecho de estar casadas las personas no es un obstáculo. Algunas mujeres simplemente no gustan de la compañía de un hombre. Encuentran que relacionarse con personas de su sexo es más agradable, por lo que mantienen una relación de tipo erótico que las complace grandemente.

Una pareja de mujeres puede practicar una relación clandestina, al igual que el tipo de relación sexual ilícita que pudieran practicar un muchacho y una muchacha que no se han casado entre sí. Frecuentemente, de manera muy especial en las mujeres jóvenes, lo que produce esta condición es una relación no satisfactoria que han tenido con un hombre. La muchacha puede haber sido objeto de un abuso o burla de parte de un hombre y ese incidente desgraciado produce en ella un fuerte rechazo del sexo masculino. Estando en una condición tal, probablemente se encuentra con una mujer que simpatiza con ella, le brinda su amistad y así va surgiendo una relación gradual de tipo homosexual.

La homosexualidad puede ocurrir hasta en mujeres mayores que aun han tenido hijos. Una mujer puede llegar a encontrar que el sexo no la satisface y lo puede considerar vulgar, doloroso, o puede calificarlo de otras mil maneras diferentes. Debido a eso, poco a poco puede sentirse atraída por otra mujer que ocasionalmente le muestra cariño, afecto, bondad, ternura y simpatía. Y así comienza una relación anormal entre esas dos personas.

Por supuesto, muchas personas no pueden entender cómo dos mujeres pueden practicar actividades sexuales, por lo menos en la manera como nosotros las entendemos.

La respuesta es que en verdad no pueden hacerlo. Lo que hacen es simplemente estimularse mutuamente los órganos sexuales. En resumen, una de las mujeres toma la iniciativa.

Por supuesto, hay otros factores que intervienen en esto. En algunos casos, una de las mujeres tiene una personalidad dominante. Ella por lo tanto tiende a asumir el papel de varón en la relación entre las dos, y la que es de menos iniciativa hace el papel femenino. En estas relaciones sexuales suelen usarse recursos artificiales para lograr el efecto que se procura.

Algunas parejas realmente van a los extremos en sus relaciones sexuales. Muchas viven juntas permanentemente como si fueran marido y mujer. La parte dominante es la que sale a trabajar mientras que la otra parte queda en la casa haciendo las tareas domésticas.

¿Y cómo es el caso con la homosexualidad masculina?

En este caso se trata de hombres que sienten más atracción sexual por otros hombres que por las mujeres.

El método más común que usan los varones que tienen relaciones sexuales entre sí es el del coito anal (si así pudiéramos llamarlo). La gente en general considera estas actividades sumamente desagradables y hasta repulsivas. Sin embargo, muchos las practican y aparentemente obtienen placer.

Hay otras formas además. Una de las más comunes es la de masturbarse mutuamente, o uno después del otro. Esto también se hace de diferentes maneras, algunas de las cuales son bastante repulsivas.

La oposición a la homosexualidad

¿Cómo se considera la homosexualidad en la sociedad actual?

En algunos países la homosexualidad entre los varones ha sido legalizada. Sin embargo, mucha gente heterosexual más bien desprecia las actividades homosexuales. Hay muchos factores que contribuyen a que la gente aborrezca la homosexualidad.

¿Cuáles son?

Tal vez el más importante sea el hecho de que se trata de algo considerado inmoral en la llamada sociedad cristiana. Las Sagradas Escrituras muy a menudo hablan muy claramente en contra de esta práctica. Hasta contienen el relato de una ciudad que fue destruida totalmente por causa de esta práctica aborrecible a los ojos de Dios. Dios hizo llover del cielo fuego y azufre sobre la ciudad de Gomorra por causa de su pecado y de su maldad. Todavía queda la palabra "sodomía" en nuestro vocabulario como un recuerdo de la pecaminosidad de aquellos días. Algunos estudiantes de la Biblia sostienen que ésa fue una de las razones por las cuales Dios mandó el diluvio sobre esta tierra. Se dice que lo hizo para luego reconstruir al mundo y convertirlo en un lugar más puro y decente donde el hombre pudiese vivir. El grado de maldad que existía en la tierra antes de los días de Noé era de lo más degradante que la mente humana pueda imaginar.

Usted acaba de referirse al aspecto moral de este problema. Comparto plenamente su punto de vista. ¿Cree usted que hay evidencias para probar que la homosexualidad sea algo pernicioso en nuestra sociedad?

Por supuesto. Se ha probado con abundante documentación que las enfermedades venéreas son muy comunes en las personas que practican la homosexualidad. En capítulos anteriores expresamos que la homosexualidad fue una de las razones principales del extraordinario auge que alcanzaron estas enfermedades venéreas después de la guerra. Además, algunas enfermedades venéreas de las más graves (aunque no son tan frecuentes), son transmitidas por estas personas, según afirman los expertos en la materia.

¿No cree que a veces criticamos injustamente a estas personas? Después de todo, nosotros creemos que somos normales y que ellos son anormales; mientras que ellos por su parte aplican eso a la inversa.

Pudiera ser así. De hecho, hay muchos médicos psiquiatras, así también como trabajadores sociales, que creen que los homosexuales debieran recibir un tratamiento especializado. Piensan que estas personas sufren de un defecto congénito, y que en vez de ponerlos en la cárcel acusados de actos ilegales, debieran más bien recibir un tratamiento médico, de igual forma como se tratan los problemas mentales en nuestro tiempo.

Después de todo, no hace mucho tiempo que se consideraba loca a la persona que padecía de problemas psiquiátricos, y se la internaba en un manicomio en donde se le prestaba muy poca atención. Actualmente, sin embargo, estas personas son atendidas por psiquiatras, y se les da un tratamiento muy cuidadoso y terapia adecuada. Los tiempos han cambiado. Tal vez esto mismo debiéramos hacer en nuestra sociedad con el problema de los homosexuales.

Es muy probable que los tiempos cambien aún mucho más. Pero esto no altera el hecho de que Dios específicamente condena la conducta de estas personas.

Mientras más pronto se hagan esfuerzos para ayudarles a reintegrarse a la normalidad, tanto mejor será. De esta manera se estaría prestando un gran servicio al prójimo. Al mismo tiempo se estaría tratando de levantar a estos seres que han caído en esta situación, para que comprendan mejor el verdadero sentido de la vida. ¿Qué obra podría hacer un trabajador social mejor que ésta? Esperamos que esto pueda ocurrir en un futuro no muy lejano para que muchos recuperen su dignidad humana.

Sin embargo, mientras tanto, queremos decir una palabra de advertencia a los jóvenes. Los homosexuales están siempre alerta para reclutar nuevas personas para su grupo. Generalmente prefieren a los jóvenes. Estas personas tienen una mente tan pervertida, que tratan de iniciar en ese tipo de conducta a los muchachos más jóvenes que pueden encontrar.

Recomendamos a los jóvenes que traten de alejarse de los

adultos desconocidos que tienen actitudes sospechosas hacia ellos. Estas personas constituyen una compañía muy peligrosa para cualquier adolescente.

Si usted cae en la trampa que ellos le tienden, pronto su vida quedará completamente destrozada, así como su trabajo escolar, su vitalidad física y, sobre todo, su experiencia cristiana.

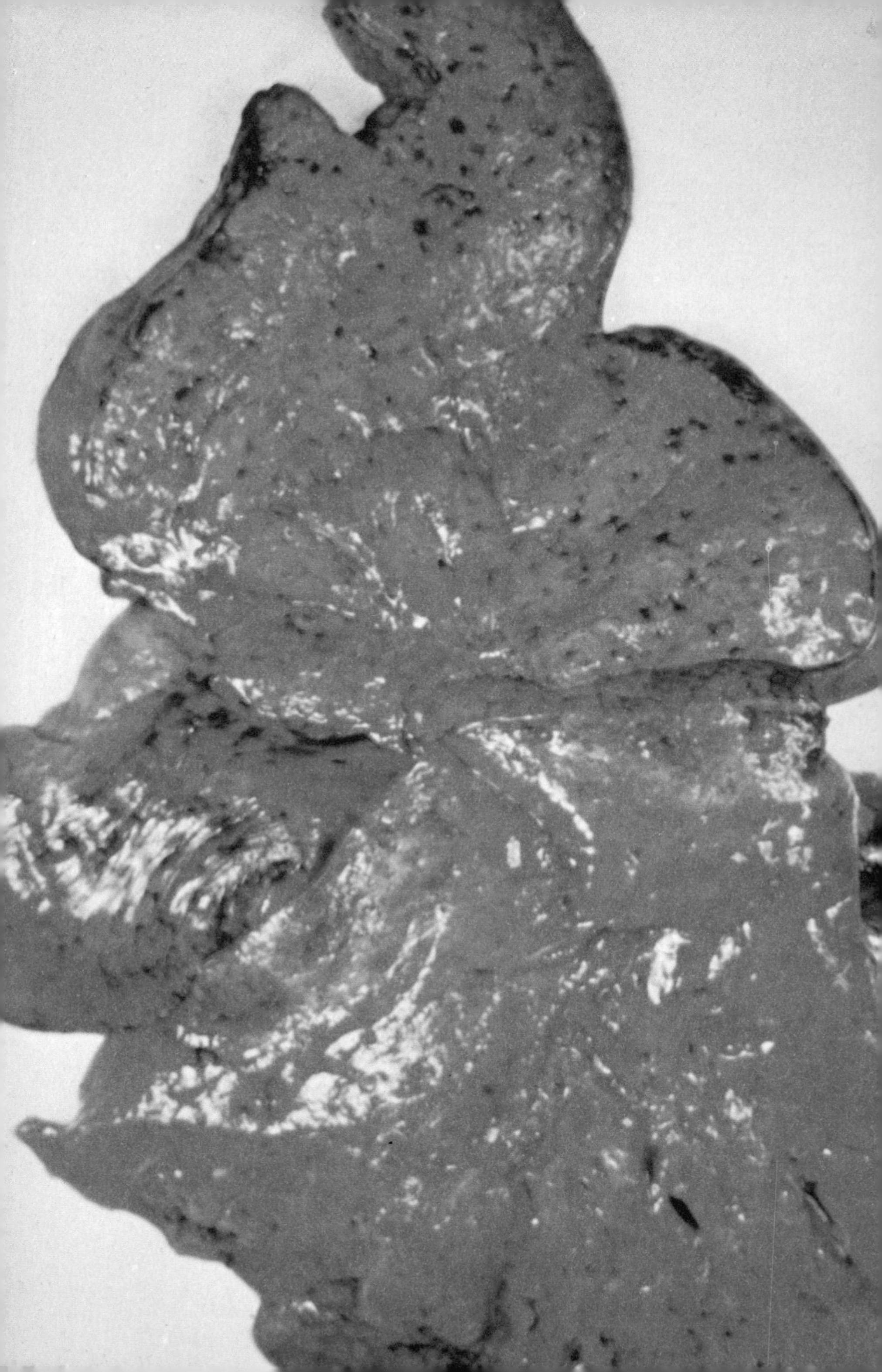

14

¡Cuidado, no juegue con fuego!

¿Cuál es su opinión acerca de las drogas y la drogadicción?

Yo tengo una posición muy firme en este asunto. Cualquier individuo que haya desarrollado una dependencia psicológica hacia ciertas sustancias químicas debe ser considerado como un "adicto". En otras palabras, su organismo se ha alterado de tal manera que necesita una provisión continua del producto para funcionar en forma medianamente satisfactoria. Si de momento se priva de esa provisión, entonces aparecen en él una serie de síntomas, y la vida se le complica grandemente.

¿Cómo ve usted el actual problema de las drogas?

Me parece que va empeorando rápidamente. Pero creo que sería conveniente entender y comprender un poco mejor lo que son las drogas, ya que al fin y al cabo ellas son las causantes de todos estos problemas. Las drogas se pueden dividir en diferentes grupos. Vamos a expresarlo con más claridad:

1. Drogas aprobadas y legalmente aceptadas.
   A. Tabaco.
   B. Bebidas alcohólicas.
2. Drogas prohibidas por la ley (a menos que se tomen bajo prescripción médica).
   A. Narcóticos.
   B. Sedativos.
   C. Estimulantes.
   D. Alucinógenos.
   E. Intoxicantes alucinógenos.
3. Drogas aprobadas legalmente para venderse en farmacias.

Vamos a empezar por el primer grupo.

1. Drogas aprobadas y legalmente aceptadas.

ulmón canceroso.

NS ADMINISTRATION

Por alguna razón extraña que nadie puede explicar satisfactoriamente, la drogadicción ha cautivado nuestro mundo. El hábito de fumar cigarrillos es algo que existe en el mundo occidental desde el siglo XVI. Los exploradores españoles que vinieron a la América fueron los primeros en llevar el tabaco a Europa, y de esta forma introdujeron la costumbre de fumar. Los exploradores ingleses la introdujeron en Inglaterra más o menos por el mismo tiempo. Ya en el año 1590 las importaciones de tabaco eran tan grandes, que hicieron que la reina les aplicara un impuesto. Desde entonces el tabaco ha quedado con nosotros como una fuente de ingresos cada vez más grande para el erario público y también como un daño cada vez mayor para la salud pública.

Las bebidas alcohólicas han sido usadas por el hombre desde tiempo inmemorial. Hay escritos muy antiguos que hablan del ''valor del alcohol'', y en las Sagradas Escrituras se lo menciona en varias ocasiones.

Estas dos drogas son usadas hoy universalmente por distintas personas en muchas partes del mundo. Ambas producen grandes ingresos y ganancias para el comercio y también para el gobierno. Colectivamente representan el más flagrante ejemplo de legalización en masa de la drogadicción. Pero las posibilidades de que haya un cambio en esta situación son muy remotas. Es algo tan firmemente establecido en la vida social y económica de las naciones, que parece estar destinado a permanecer por largo tiempo.

Sin embargo, esto no significa que esos vicios sean inofensivos y convenientes. El uso masivo de una droga, no importa cuánto se la acepte, en nada mejora sus condiciones tóxicas y perjudiciales.

Hablemos ahora un poco acerca del tabaco.

A. Tabaco.

Actualmente, una cantidad cada vez mayor de descubrimientos científicos cuidadosamente logrados, confirman que el hábito de fumar cigarrillos y cigarros es la causa principal de muerte en la sociedad moderna. Para muchos médicos, científicos, e investigadores, no hay ninguna duda en cuanto a esto. Es cierto que la poderosa industria del tabaco trata de ridiculizar estos descubrimientos negándoles importancia, pero ahí están los hechos irrefutables. El hábito de fumar tabaco produce cada vez más muertes.

No es posible incluir en un libro como éste la gran cantidad de datos bien documentados que existen sobre esto. Pero vamos a seleccionar alguno al azar. Tomemos el Reino Unido como un ejemplo de lo que sucede en un país occidental donde se practica el hábito de fumar.

Se considera que en Inglaterra se producen cada año 20 mil muertes en el grupo de hombres comprendidos entre los 35 y los 64 años, como consecuencia del hábito de fumar.

Los riesgos

¿Cuáles son algunos de los peligros específicos del fumar?

Primero, hay un peligro absoluto de acortamiento de la vida. Cuanto más fuma una persona, más oportunidades tiene de contraer las enfermedades que sólo se producen por esta causa. Por ejemplo, los fumadores tienen doble posibilidad de morir a una edad mediana de la que tienen los no fumadores, y corren un riesgo de muerte igual al de los no fumadores diez años mayores que ellos.

Otro modo de explicar esto es que un hombre de 35 años que es un fumador promedio vivirá cinco años menos que otro hombre de su propia edad pero que no fuma.

La vida es realmente algo agradable para la mayoría de nosotros. El pensamiento de una muerte prematura es algo que siempre asusta aun cuando ese trágico momento todavía esté bastante distante. El saber que el fumar pudiera afectarnos en esa forma, realmente asusta.

¿Cuál es la situación actual en relación con el hábito de fumar y el cáncer del pulmón?

El cáncer del pulmón se ha producido en animales a quienes se les ha dado a fumar cigarrillos. He aquí una interesante declaración: ''Personas de todos los países, que son autoridades en estos asuntos, están de acuerdo en que el fumar cigarrillos es la causa del cáncer del pulmón''.[1] Además hay una relación muy manifiesta entre el número de cigarrillos que se fuman y la incidencia del cáncer del pulmón.

¿Qué se sabe acerca de los filtros, el dejar el hábito, el fumar en pipa, y los cigarros o puros?

Un filtro reduce un poco el peligro, pero no lo elimina completamente. Si un fumador deja el hábito, sus posibilidades de contraer el cáncer del pulmón se reducen considerablemente. En cuanto a las pipas y cigarros puros, se cree que juegan un papel menor en la incidencia del cáncer del pulmón. Más bien producen otros males. Los cigarrillos, como también los cigarros, son como clavos de ataúd.

Los expertos consideran que cincuenta mil personas morirán a causa del cáncer de pulmón en Inglaterra y Gales para la década del ochenta. Pero si se pudiera detener el avance del hábito, esto podría reducirse a tan sólo cinco mil.

¿Argumentos en contra?

Muy a menudo escuchamos (aunque mayormente entre los fabricantes de cigarrillos) que estos descubrimientos hechos en cuanto a los males del fumar son falsos. A menudo publican informaciones en las que ofrecen datos que parecen muy convincentes.

También esto es cierto. Sin embargo, "ciertas objeciones en cuanto a los descubrimientos hechos, que prueban que el cigarrillo es la causa del cáncer del pulmón, cuando se las analiza correctamente, no tienen fundamento alguno".[2]

¿Y qué en cuanto a las enfermedades del pecho de las cuales oímos de vez en cuando?

Sí. Estas enfermedades incluyen las más conocidas, tales como la *bronquitis crónica y el enfisema.* Estos son problemas bastante graves y también son causa de muerte. Se ha comprobado plenamente que la aparición de estas enfermedades está relacionada directamente con el hábito de fumar y, más específicamente, con la cantidad de cigarrillos que se fuman. Muchos casos se han observado en que la condición de los pulmones ha mejorado inmediatamente cuando se ha abandonado el hábito.

¿Qué se ha descubierto en la relación entre el fumar y el corazón?

El cigarrillo es una verdadera amenaza para el corazón y los vasos sanguíneos. La probabilidad de contraer enfermedades del corazón es el doble en los fumadores de lo que es en los no fumadores. Por supuesto, esto también está en relación con la cantidad de cigarrillos que se fuman y la edad cuando se empezó a fumar.

De nuevo, el riesgo de contraer esas enfermedades se reduce cuando se deja el hábito. Los ataques de corazón no son siempre fatales. Pero si ocurre un ataque, el fumador corre más peligro que el no fumador.

En resumen, los expertos creen que "el fumar cigarrillos es un factor muy importante en el surgimiento de enfermedades coronarias, y que el abandonar el vicio hace que se reduzcan grandemente las probabilidades de muerte motivadas por esto".[3]

Otros problemas

Parece que está bien comprobado que fumar durante el embarazo afecta tanto a la madre como al niño por nacer.

Es cierto. Las madres fumadoras están más expuestas a tener abortos. Tienden a tener niños más pequeños (esto significa que estos bebés están muy en desventaja en relación con los bebés normales). También, en los primeros días de vida, es muy común la muerte de los bebés de las madres fumadoras.

Y la lista se hace más larga y más terrible a medida que profundizamos más. ¿Qué otras complicaciones le aguarda a la pobre persona que escoge consumir su tiempo y su dinero en tan ingrato tipo de entretenimiento?

Todavía hay mucho más que se pudiera mencionar. Por ejemplo, cáncer de la lengua, de la laringe y del esófago. Todos éstos son males muy comunes en el fumador, así como también el aumento del desarrollo de cáncer en la vejiga o en el páncreas. Hay además otros riesgos que son: el contraer tuberculosis en los pulmones, y una tendencia a demorarse la cura de los males del estómago y de las úlceras del duodeno.

También han comprobado los investigadores que los que fuman están más expuestos a *accidentes*. Ha habido muchos incendios, y personas que han muerto en ellos, a causa de la práctica del fumar. En tan sólo un año, cien personas murieron por esta causa en Inglaterra.

Por otra parte, el fumar puede aumentar el riesgo de contraer algunos tipos de ceguera. Y con alguna frecuencia tiene que ver con enfermedades del hígado, siendo que los bebedores generalmente fuman. Además, los fumadores tienen más enfermedades en los dientes y las encías que las demás personas que no son fumadoras. Por otra parte, no poseen tan buena aptitud física como las demás personas que no practican el hábito.

El problema con el peso

¿Es verdad que el fumar ayuda a controlar el peso?

Nadie debiera pensar que puede mantener su peso, y aun hacerlo bajar si es necesario, mediante el fumar. "Las personas que dejan de fumar, a menudo aumentan de peso, pero esto en nada afecta a los otros beneficios que se reciben para la salud". Esta categórica declaración fue hecha por un grupo de investigadores británicos.

Por supuesto que cualquier persona responsable reconocerá que se siente mejor cuando no fuma.

Así es. Sin embargo, en muchos casos, aun la persona más razonable no puede abandonar el hábito fácilmente después que lo ha estado practicando por mucho tiempo. Generalmente ocurre que el placer que se recibe del acto de fumar hace que la persona olvide los tremendos daños que el mismo causa a la salud. El aspecto social tiene que ver con esto también. Todavía el fumar es algo que está de moda entre la gente, aunque en algunos países ya se lo considera un hábito antisocial, por lo que el hábito ha comenzado a declinar. Muchos médicos ya no fuman, sobre todo los que tratan a pacientes que tienen padecimientos relacionados con el uso del tabaco. Pero posiblemente la principal razón para no abandonar el vicio es que, una vez que la persona lo ha adquirido firmemente, es difícil dejarlo.

Cómo dejar el hábito

¿Cuáles son los métodos que ayudan a dejar el hábito?

Muchos están basados en los métodos generales que hemos venido recomendando desde el comienzo de este libro. Uno de ellos es hacer del hábito de dejar de fumar una de las metas principales de su vida. Esto, combinado con un pensamiento positivo, más una sincera petición de ayuda a Dios, puede contribuir a tener éxito.

Pero usted mismo tiene que esforzarse. Si no lo hace así, fracasará. La lucha contra el hábito de fumar no se puede emprender a medias, sino con determinación, entusiasmo y dedicación. Es muy necesario que se repita a sí mismo con frecuencia que necesita vencer el hábito; que tiene que alcanzar su meta; que va a dejar de fumar. Poco a poco obtendrá confianza en el éxito hasta que finalmente triunfará.

Hay algunas sugerencias sencillas que han ayudado a muchas personas. Una es tomar mucho líquido. Esto ayuda a expulsar de su organismo las toxinas acumuladas durante los años de fumar.

Hacer ejercicios es también muy conveniente. Esto logra que el cuerpo reciba más oxígeno y que de esa manera desaparezcan también los residuos tóxicos acumulados. Tomar jugos de frutas logra muchas veces calmar la necesidad de fumar. Además de esto, los jugos son muy alimenticios, son ricos en vitaminas y ayudan a limpiar el organismo.

Otra cosa muy importante en esto es reducir en lo posible el uso de alimentos muy condimentados, como carnes muy sazonadas y oleaginosos muy salados como nueces, almendras o maníes. De hecho, muchos piensan que una dieta vegetariana contribuye mucho a poder vencer el hábito. El reducir o eliminar totalmente el consumo de café y té es algo muy recomendable también. Los baños de lluvia alternadamente calientes y fríos, tonifican el cuerpo y hacen desaparecer algunos síntomas de debilidad que ciertas personas experimentan en los primeros días después de dejar de fumar.

Terapia de grupo

Es conveniente tener un compañero que esté pasando por la misma experiencia. Usted y él pueden dialogar sobre el asunto. No hay nada que anime más que comparar las victorias que uno y otro han logrado.

Generalmente la primera semana es la más difícil. Pero después de eso las cosas se van restableciendo y el deseo de fumar se va haciendo cada vez menos intenso, hasta que desaparece totalmente.

¿Qué piensa usted de ciertos métodos, como el llamado Plan de Cinco Días para Dejar de Fumar?

No hay duda de que estos planes están entre los más efectivos métodos que han sido ideados. En los Estados Unidos (y también en otros países), estos planes de cinco días son dirigidos por la Iglesia Adventista del Séptimo Día como un servicio a la comunidad.

El costo por participar en ellos es mínimo. El curso sólo dura unas dos horas, durante cinco noches consecutivas. Se les dan conferencias a grupos de seis o doce y hasta de cien personas o más, y también se les ofrecen demostraciones a cargo de médicos y otras personas capacitadas, que imparten una serie de instrucciones muy fáciles de prácticar. Como resultado, a veces hasta 85 por ciento de los asistentes abandonan el vicio al finalizar el curso. De 40 a 50 por ciento de ellos todavía se mantienen firmes en su abstinencia de tabaco a los seis meses después de haber terminado la instrucción. Se han hecho algunas encuestas independientes que han revelado que éste es el método más eficaz para ayudar a una persona que desea abandonar el vicio.

¿Dijo usted que el Colegio Real de Médicos de Londres recientemente ha ofrecido una serie de sugerencias a personas que tratan de reducir el hábito pero que encuentran que no lo pueden vencer totalmente?

Es cierto. Este colegio ha producido la documentación más abundante que se pueda conseguir en algún lugar en cuanto a lo relacionado con el hábito de fumar. De hecho, la mayor parte de las estadísticas que hemos presentado en este capítulo han estado basadas en los informes de esa institución, y por lo tanto queremos darles el crédito que merecen.

Vamos a ofrecer a continuación algunas de sus sugerencias:

"A los que todavía fuman se les debe sugerir lo siguiente: fume menos cigarrillos; inhale menos el humo; fume cada vez menos de cada cigarrillo; retire el cigarrillo de su boca entre fumada y fumada; dé menos fumadas a su cigarrillo, use marcas de cigarrillos que posean la menor cantidad de nicotina y de brea".[4]

Debo también añadir que el colegio recomienda que a los niños se les enseñe desde temprana edad a conocer los peligros que hay en el fumar y que se hagan todos los esfuerzos posibles para impedir que contraigan el hábito.

Permítame ahora relatarle la historia de Haroldo y Enrique.

Haroldo

Haroldo había sido un piloto de la fuerza aérea de Estados Unidos durante la Segunda Guerra Mundial. Había sido derribado en Alemania y durante cinco años estuvo como prisionero de guerra. Su compañero fue menos afortunado y murió. Pero debido a su fuerte condición física, su buena salud y su indómita fuerza de voluntad, Haroldo sobrevivió.

Haroldo no fumaba. Por lo menos no lo hizo hasta que se enfrentó a los terribles rigores de la vida de un prisionero de guerra. Entonces, para aplacar un poco el apetito debido a que el alimento era muy escaso y a veces no se podía ni conseguir, empezó a fumar.

"Recibíamos cigarrillos de vez en cuando y a veces podíamos hasta comprarlos a los guardias —me dijo Haroldo en cierta ocasión—. Yo sé que hice mal en comenzar a fumar, pero cuando uno llega a perder toda esperanza, se dice uno a sí mismo: 'Qué importa' ".

Cuando fue liberado de su prisión, Haroldo regresó al hogar pero ya convertido en un gran fumador.

Pasaron 25 años. Durante ese tiempo, de vez en cuando Haroldo me visitó en mi consultorio médico para que lo examinara en algunas enfermedades de menor importancia.

Una noche llegó inesperadamente a mi consultorio.

—Doctor, tengo un fuerte dolor en el pecho —me dijo, llevándose la mano al corazón.

Le ausculté el pecho, le tomé la presión arterial y escuché los latidos de su corazón.

—Le haré un examen más detenido —le dije.

Entonces le hice los exámenes de rutina. Encontré su presión sanguínea alta, y su corazón mostraba señales de tener vasos sanguíneos estrechados. Definitivamente era un candidato para un ataque de corazón y también para serias complicaciones coronarias.

—¿Cuál es el resultado del examen? —preguntó Haroldo unos días después.

—No muy bueno —contesté sin mirarlo.

—¿Qué quiere usted decir? —preguntó Haroldo. Al oírlo, noté un poco de preocupación en su voz. Para un antiguo piloto de la fuerza aérea que pasó cinco años en el infierno de un campamento de concentración, esto significaba mucho.

—¿Cuántos cigarrillos fuma al día? —le pregunté.

—De cincuenta a setenta —contestó Haroldo.

—Muy bien. Usted tendrá que elegir entre dejar de fumar o un ataúd dentro de cinco años. —Luego me quedé mirándolo muy seriamente. Estaba pálido en aquel momento.

—Muchas gracias —murmuró—. ¿Habla usted en serio?

—Sí, hablo en serio.

Después de esto salió y se fue. Pasaron cuatro semanas hasta que lo volví a ver.

—Hola, doctor —me saludó alegremente—. ¿Cómo le va?

Este no era el ansioso y preocupado Haroldo que yo había visto durante los últimos veinte años.

—¿Y cómo va con los cigarrillos? —le pregunté.

—¿Qué cigarrillos? —preguntó Haroldo como con cierta picardía.

—Los cincuenta a setenta que fumaba por día.

—¡Ah, esos cigarrillos! Pues, he dejado de fumar. Nunca me he sentido tan bien. Ahora realmente estoy empezando a vivir. A vivir de verdad.

Casi no podía yo creer lo que oía.

—¿Cuándo ocurrió todo? —pregunté asombrado a aquel nuevo hombre que tenía frente a mí.

—Pues en el mismo momento en que salí de su oficina, hace cuatro semanas. ¿Por qué iba a seguir actuando con insensatez? ¡No me agradaba la idea de convertirme en cadáver! Ahora he venido solamente a darle las gracias. Quiero decirle que también estoy ahorrando dinero, ya que no lo gasto en cigarrillos.

Haroldo no ha vuelto a fumar y nunca más fumará. Se propuso una meta. Luchó por alcanzarla. Tuvo una actitud positiva, fuerza de voluntad y sentido común. Ahora se ve mucho más joven, su salud está muy mejorada, está trabajando más que nunca y disfrutando más la vida. Han desaparecido los dolores del corazón. La presión arterial es normal. Y yo creo que Haroldo va a vivir todavía muchos años más.

Enrique

¡Maravilloso! ¿Cuál es el caso de Enrique?

Enrique era viejo en todo el sentido de la palabra. Tendría entre 84 y 85 años de edad. En realidad ya ni me acuerdo cuántos eran. Enrique era un buen vecino y también un buen amigo. Durante muchos años había sido un asiduo lector de la columna médica que publicaba yo en un periódico de la tarde. Un día escribí en la columna acerca de la insensatez de fumar y en cuanto a cómo el que persistía en fumar necesitaba que se le hiciera un examen de la mente.

—¿Está usted realmente convencido de que es malo fumar? —me preguntó Enrique al día siguiente, cuando me habló del asunto.

—Absolutamente, Enrique —le respondí.

—Yo he sido un verdadero tonto. He estado fumando desde que tenía 12 años de edad. ¡Qué gran estúpido he sido! Creo que ahora mismo voy a dejar el vicio.

—¡Magnífico, Enrique! Buena suerte —le contesté en el momento en que se marchaba.

Una tarde volvió al consultorio. Mientras hablaba, se lo veía respirar con gran dificultad. ¡Cuánto habían sufrido esos pobres viejos pulmones en esos 72 años durante los cuales el dueño era una chimenea humana!

—¡Lo he logrado, lo he logrado! —me dijo tan pronto como entró a mi oficina.

—¿Ha logrado qué, Enrique? —le pregunté. Por unos momentos había olvidado yo la determinación que el hombre había hecho la semana anterior.

—¡He dejado de fumar, doctor! ¡Después de 72 años!

Ciertamente yo estaba más que asombrado. Estaba pasmado. Pensar que un hombre de su edad, una verdadera antigüedad, pudiera dominar un hábito después de tantos años.

—Volveré dentro de un mes —dijo al tiempo que se despedía.

Cuatro semanas más tarde todavía Enrique se mantenía sin fumar. Dos meses, seis meses, un año. Todo este tiempo sin fumar. De hecho, Enrique no volvió a fumar durante los siguientes 18 meses. La razón por la cual después de ese tiempo no se pudo llevar más el registro de su abstinencia fue que una noche, muy tranquilamente, dejó de existir.

Pero había alcanzado una gran victoria. Había alcanzado su meta, había pensado positivamente y por lo mismo triunfado.

Cuando escucho a jóvenes decir: "No me es posible dejar de fumar", pienso inmediatamene en Haroldo y Enrique. Y me digo a mí mismo: Si esas dos personas pudieron vencer el hábito de fumar, cualquiera lo puede hacer.

B. Bebidas alcohólicas:

Pasemos ahora al siguiente asunto en nuestra discusión sobre las drogas legalmente aprobadas y socialmente aceptadas.

Algo que a mí siempre me intriga es pensar por qué esas drogas diabólicas son aprobadas legalmente. Creo que tal vez sea porque estos hábitos están tan profundamente establecidos en la sociedad, que cualquier gobierno que tratara de reeducar a las masas en este sentido perdería popularidad. O podría ser porque los propios legisladores se convertirían automáticamente en los primeros violadores de la ley.

Hace algún tiempo recibí una revista médica. Era una publicación que había sido distribuida mundialmente entre médicos, y que contenía una estadística actual acerca de la condición del alcoholismo en todo el mundo.

Decía así: "El alcoholismo resulta ser una paradoja. Es un problema mucho más grave que cualquier otra forma de drogadicción en los países desarrollados.

"Hay un tercio de millón de alcohólicos en Inglaterra y varios millones en los Estados Unidos. El alcoholismo es un grave peligro para la salud, de proporciones epidémicas. Sin embargo, nadie sabe exactamente su causa y mucho menos cómo prevenirlo y tratarlo".[5]

Si el alcohol es algo tan peligroso ¿por qué es tan popular entre la gente?

Me parece que se debe a que hace a la persona sentirse más calmada, más animada y más alegre. Le hace olvidar sus preocupaciones.

Es muy curioso que la mente humana siempre está dispuesta a acudir a cosas de efectos transitorios. ¡Cuán a menudo pasan por alto sus efectos dañinos de largo alcance!

Las personas aficionadas a las fiestas

Basta tan sólo asistir a una de esas fiestas en donde se consumen grandes cantidades de licor para poder ver el efecto que el alcohol produce en los asistentes. Lo primero que se nota es cómo a la gente se le suelta la lengua. Se dice que eso se debe a que el alcohol reduce las tensiones, aumenta la sensación de bienestar y alegría y suprime las inhibiciones.

No se puede negar que eso ocurre. Pero obsérvese a esas mismas personas tan alegres la noche anterior, a la mañana siguiente. ¡Qué triste espectáculo se contempla entonces! Malestares, dolores de cabeza, ojos inyectados en sangre. Un espectáculo verdaderamente deprimente.

Hace algunos años yo trabajaba en un pequeño pueblo. Las Navidades son los días tradicionales de fiestas en todas partes y aquel lugar no era la excepción. Muy pronto en mi experiencia médica aprendí que el día después de Nochebuena era siempre un día muy ocupado para el médico local.

Por lo tanto, creí conveniente tener en mi consultorio una buena cantidad de medicinas apropiadas para estas ocasiones. Aunque muchos años antes yo ya había decidido abstenerme completamente de las bebidas alcohólicas, ante el cuadro tan deprimente que ofrecían las personas que pasaban por mi consultorio, reafirmé una vez más mi decisión de abstinencia.

El alcohol y los accidentes de tránsito

¿Existe alguna relación entre el alcohol y los accidentes de tránsito en las carreteras?

De acuerdo con los expertos, hay una estrecha relación entre ambos. A la verdad, muchos investigadores médicos afirman que en la mayoría de los accidentes de tránsito está la presencia del alcohol en alguna forma.

El alcohol afecta el intelecto, reduce la habilidad para manejar y la capacidad de reaccionar a tiempo, y también entorpece el buen juicio. Los reflejos del cuerpo también se reducen y la percepción visual es igualmente afectada.

Lamentablemente cada vez hay envueltos más adolescentes en estos accidentes.

"Un informe del Ministerio de Salud de los Estados Unidos decía que el alcoholismo entre los estudiantes de escuela secundaria había aumentado notablemente. El estudio tambien tenía datos de los cuales se desprendía que los bebedores tenían más probabilidades que los no bebedores de adquirir enfermedades como el cáncer de la boca, de la tráquea, del esófago y del hígado.

"Según el Dr. Morris A. Chafetz, ... el alcoholismo y las complicaciones que el mismo produce costaron a los Estados Unidos más de 25 mil millones de dólares al año en pérdida de horas de trabajo, en gastos médicos y en accidentes de tránsito...

"El informe mostraba, además, que uno de cada siete alumnos varones del último año de escuela secundaria había admitido haberse embriagado por lo menos una vez a la semana; 34 por ciento de ellos admitieron haberse embriagado por lo menos 4 veces al año. El Dr. Chafetz describió estos datos estadísticos como señales de 'alcoholismo prematuro' ".[6] Ofrecemos estos datos únicamente para dar una indicación de cuán esparcida está la adicción al alcohol en la sociedad en general, y para mostrar algunas de las desventajas cívicas y sociales que hay en ello.

¿Qué cree usted de los análisis del aliento para determinar el grado de alcohol en la sangre que se practican rutinariamente en distintos países?

Todo lo que puedo decir es que esos análisis están ayudando a reducir la terrible carnicería en las carreteras. Además, han estado creando conciencia en cuanto a la relación del alcohol con la seguridad en las carreteras, y han ayudado a llamar la atención a los peligros y problemas inesperados que existen para los conductores en particular.

Sin embargo, a menudo ocurre que no es el conductor del carro el que sufre más en los accidentes automovilísticos. Generalmente es la persona más inocente la que lleva las peores consecuencias. Pero estos análisis del aliento están logrando llevar ante la justicia a los que son responsables de los accidentes en las carreteras.

¿Podría resumir lo que piensa acerca del joven y las bebidas alcohólicas?

El mejor consejo que yo puedo dar es: "No comience nunca a beber". Imagino que muchos de nuestros jóvenes lectores no habrán hecho todavía una decisión en cuanto a este asunto. Los jóvenes sensatos deberían aprovechar el consejo de las personas de experiencia. No debieran iniciarse en un hábito que rápidamente los convierte en adictos.

Si evita que las bebidas alcohólicas se conviertan en un problema para usted, habrá ganado la batalla. Resista las presiones sociales. Nadie lo puede obligar a tomar el primer vaso de vino.

Muchas personas de éxito, tanto hombres como mujeres, nunca beben. Usted no tiene por qué ser "uno de los que van con la corriente" para triunfar en la vida. En verdad, los que tienen suficiente fuerza de voluntad para mantenerse firmes y no seguir el ejemplo permisivo de mucha gente, son personas que también tienen altas cualidades para triunfar en la vida.

No sea uno de esos que dicen: "¡Vamos a divertirnos como todo el mundo se divierte!" El que es verdaderamente sabio trata de conservar su intelecto intacto, de mantenerse alerta, de tener sus reflejos en buen funcionamiento y su pensamiento claro en todo momento. Créame, vale la pena mantenerse firme y rehusar probar las bebidas alcohólicas.

Como médico, yo no fumo ni tomo. Nunca lo he hecho y nunca

lo haré. Jamás tomaré tiempo para dedicarme a diversiones que consumen el tiempo, el dinero, la inteligencia y la salud.

---

1. "Smoking and Health Now", un informe del Colegio Real de Médicos, (1971).
2. *Ibíd.*
3. *Ibíd.*
4. *Ibíd.*
5. *Medical Journal of Australia,* 25 de julio, 1970.
6. *Facts on File,* p. 699, 1974.

15

La ruina de los adolescentes

Pasemos ahora a considerar el tema de los medicamentos y las drogas.

2. Medicamentos y drogas prohibidas por la ley (a menos que se tomen bajo supervisión médica).

Una gran cantidad de medicamentos y drogas caen dentro de esta categoría, que comprende cinco grupos químicos principales.

Cierto número de estos medicamentos y drogas son muy útiles en el tratamiento médico normal. En verdad, sin ellos los enfermos no sanarían y la práctica normal de la medicina quedaría gravemente afectada.

Ciertas drogas se administran para aliviar el dolor (por ejemplo, después de una importante operación quirúrgica), y como sedantes. Se administran a los pacientes bajo supervisión médica y se da una mínima dosis de ellas por un corto período de tiempo. Bajo estas circunstancias el uso de las drogas es legal y realmente ofrece un gran beneficio a la humanidad.

Uso incorrecto de las drogas

Cuando estas mismas drogas caen en manos inescrupulosas y no son usadas con propósitos medicinales, sino más bien para procurar placer o excitación, es cuando surgen los problemas. Como resultado, el joven suele caer fácilmente en la adicción.

En esos casos generalmente se toman dosis exageradas. Un uso irresponsable de las drogas, como éste, es completamente ilegal y debe ser condenado firmemente.

¿Tienen todas estas drogas usos medicinales?

Por supuesto que no. De hecho, hay algunas que está prohibido usarlas en cualquier forma. El uso, o siquiera la posesión, de

12—E.J.M.S.

algunas de ellas puede ser causa de elevadas multas e inclusive de encarcelamiento.

La heroína, la morfina y la cocaína se consideran como drogas "fuertes". A las anfetaminas y la marihuana se las considera drogas "suaves". Cualquier persona que use, manufacture, venda o posea algunas de estas drogas sin la autorización debida, puede ser culpable de violar la ley, y por lo tanto multado o encarcelado.

Si esa persona tiene en su poder drogas que están prohibidas, en una cantidad que exceda cierto límite, puede ser considerado como traficante. Y éste es un delito muy grave, penado con encarcelamiento prolongado. La posesión de ciertas otras drogas también puede acarrear condena y prisión en algunos países que tienen este tipo de leyes.

¿Es posible distinguir las distintas clases de drogas? En otras palabras, ¿qué drogas producen consecuencias graves y cuáles no son tan graves?

Sí, y por esta razón estamos incluyendo aquí en este capítulo una tabla especial con información en este sentido. En la misma aparecen clasificados los distintos grupos de drogas. Se especifica su uso médico (en caso de que exista), y se da también orientación en cuanto a las posibilidades de crear adicción que hay en ellas. Además, en esta tabla se presentan los efectos inmediatos de las drogas conjuntamente con los posibles efectos a largo plazo. (Consulte la tabla incluida hacia el final del capítulo.)

Es un hecho conocido que en diversos países del mundo hay cada día más adolescentes que usan drogas. ¿Cuán intensa cree usted que es esa participación?

De acuerdo con los expertos que día a día están haciendo investigaciones sobre estos casos, "una tercera parte de todas las escuelas de los Estados Unidos afrontan un serio problema de drogas".

¿Dónde consiguen los jóvenes las drogas?

Es muy sencillo. Se pueden conseguir casi en cualquier lugar. De hecho, más tarde o más temprano el joven va a recibir la proposición de usar la droga en una forma o en otra.

¿Cómo funciona el mercado callejero de las drogas?

Alguien se le acerca a un muchacho, probablemente un compañero de clases, y le dice: "¿Quieres saber algo interesante? He conseguido unas pastillas maravillosas. (En este momento le enseña con mucha satisfacción unas cápsulas de colores o unas pastillas.) ¿Qué te parece si te tomas una? Yo ya las he tomado y te puedo asegurar que lo que uno siente es extraordinario. Estoy seguro que a ti también te va a encantar".

El muchacho titubea.

"No te va hacer daño. Fíjate, a mí no me ha hecho ninguno. Me siento perfectamente bien. Tú me conoces. Yo soy tu amigo. Anda, tómala. Pruébala. Yo puedo conseguir más. No hay problema de ninguna clase. Te lo aseguro".

Tal es el procedimiento que generalmente se sigue. En otras ocasiones alguien se le acerca a un adolescente en una fiesta, en la calle, en la playa, en la piscina de natación, en un ómnibus, en una gira o en un evento deportivo. La conversación siempre es la misma: cápsulas, pastillas, o tal vez inyecciones.

Las razones que se dan son siempre las siguientes: "Vas a sentir algo especial. Podrás estudiar mejor porque tu mente estará más clara. Sentirás una sensación maravillosa en todo el cuerpo". Siempre se presenta algo positivo, para que sirva como un gancho que induzca a usar la droga.

Cómo evitar caer en la trampa

¿Qué debe hacer un adolescente cuando alguien le ofrece drogas?

De inmediato debe ponerse en guardia y a la defensiva, porque el uso de drogas es algo muy arriesgado. Tan pronto como se da el primer paso, es inevitable que se empiece a descender hacia el abismo. Los que han visto cómo las drogas destruyen el cuerpo y la mente, aconsejan a los jóvenes a tener mucho cuidado.

Los adolescentes deben rechazar a estos "amigos" que vienen a ofrecerles drogas, y también deben cuidarse del trato amistoso de personas desconocidas. A menos que sea el médico quien las recete, en ninguna circunstancia deben aceptar de nadie píldoras, cápsulas o inyecciones. Si se presenta esta circunstancia, recháacela inmediatamente. No se detenga ni siquiera para conversar. Siga caminando. Cuídese mucho de las trampas que hemos mencionado.

¿Qué drogas se ofrecen con mayor frecuencia a los jóvenes?

Esto varía enormemente de un pueblo a otro, de un Estado a otro, de un país a otro. Depende, además, de la clase de drogas que estén en circulación en determinado momento o lugar.

Las anfetaminas, por ejemplo, son muy populares. En muchos países no han sido todavía prohibidas totalmente, por lo que se distribuyen en abundancia.

Durante muchos años las anfetaminas fueron recetadas por los médicos como medicamentos para reducir el apetito, y eran muy usadas por personas que querían reducir de peso. Eso las popularizó. Lamentablemente, no se sabe cuántas personas están usándolas con este propósito, ni cuántas se han convertido en adictas a tan poderosa droga.

Los barbitúricos (depresivos) se usan en la medicina como sedantes para los nervios. Ellos son también una droga que los traficantes ofrecen, pero que no tiene mucha aceptación.

¿Qué de la marihuana?

La marihuana es extremadamente popular. Se la conoce por diferentes nombres. Muchos la llaman la ''hierba'' o la ''yerba''.

Lo que se conoce como hachís es una resina que se obtiene de las hojas y otras partes de la planta del cáñamo (*Cannabis sativa*). Se considera que es diez veces más potente que la marihuana. La palabra ''hashish'' significa ''asesino'' en el idioma árabe. Antes se creía que al que la usara le sobrevenían fuertes deseos de matar. Aunque esto no es verdad, el nombre sin embargo ha quedado.

¡Cuídese de la "yerba"!

La marihuana es una planta que crece casi en cualquier lugar. Pero por regla general se la introduce de contrabando. Esta droga circula ampliamente y se puede conseguir con toda facilidad.

La marihuana no produce enfermedad inmediata en el que la usa y por esta razón hace años que se viene tratando de que sea legalizada.

No tiene ningún valor terapéutico en la medicina moderna. Contiene, sin embargo, algunos elementos estimulantes, sedativos, tranquilizadores, alucinógenos y narcóticos. En las personas que conducen automóviles esta droga tiene efectos similares a los que produce el alcohol.[1]

Para muchas personas la forma en que la marihuana afecta la conducta social es lo que la hace más atractiva. Produce efectos subjetivos como la alteración del tiempo (al adicto le parece que el tiempo es más largo), percepción del espacio, euforia (hay una sensación de extremada alegría), relajamiento, sensación de bienestar, pérdida de las inhibiciones, disminución de la capacidad de atención, pensamiento fragmentado, sentido de la identidad alterado, risa exagerada, aumento de la sugestionabilidad, y creencia de que se poseen grandes habilidades artísticas aunque no haya evidencias de ello en ninguna parte.

Los entendidos en asuntos de drogas están convencidos de que "la marihuana es una droga potente que tiene el mismo poder del alcohol para modificar el estado de ánimo, el juicio y la habilidad funcional de una persona". Otras autoridades están muy de acuerdo en que el "cannabis es una droga muy peligrosa".[2]

Otra cosa que atrae a los que usan esta droga es la facilidad con que pueden fumarla. No parece algo tan grave como inyectarse una sustancia en el cuerpo usando una jeringa hipodérmica.

El mayor temor en cuanto a la marihuana es que los efectos posteriores y permanentes se desconocen aún. Muchas autoridades creen que pueden tener serias repercusiones, y solamente el tiempo podrá confirmar si esto es así o no.

¿Qué hay en cuanto al LSD (dietilamina del ácido lisérgico)?

Esta potente sustancia química fue desarrollada por un investigador químico suizo que buscaba la cura para los fuertes dolores de cabeza (migraña o jaqueca).

Así fue como dio con el "ácido", y después de estar bregando con él tuvo un fantástico viaje de regreso a su casa. Prontamente se dio cuenta de que había hecho un descubrimiento que tendría grandes repercusiones.

El LSD es una droga extremadamente fuerte. Aunque le ofrece un cuadro distorsionado del mundo y de la vida a la persona que la usa, con todo, su empleo está muy expandido ya, y la droga se puede conseguir en muchos lugares.

Drogas fuertes

¿Qué son las drogas "fuertes"?

Estas son las drogas más peligrosas de todas. Entre ellas se incluyen los narcóticos.

El peligro principal es que el cuerpo pronto empieza a depender intensamente de ellas. No pasa mucho tiempo hasta que se produce este efecto. Sin embargo, si se decide interrumpir su uso, entonces surgen complicaciones. Las complicaciones son sumamente graves. Por esa razón la gente que usa estas drogas se ve obligada a utilizarlas cada vez más. Los adictos son capaces de hacer cualquier cosa para conseguir la provisión de drogas que necesitan.

Estas drogas generalmente se aplican mediante inyecciones. La misma persona se las suele inyectar, o busca la ayuda de algún cómplice. La heroína es la más peligrosa de todas. Se usó una vez con fines médicos pero ahora está prohibida. Se cree que nadie podría resistir los efectos de la heroína si se la usara por un tiempo suficientemente largo.[3]

Hay otras drogas que caen también en esta misma categoría y que son muy usadas: petidina, morfina, metadona, y otras más, relacionadas con éstas. Todas ellas son frecuentemente usadas por los adictos. Los médicos a menudo recetan estas drogas para aliviar los dolores intensos. Sin embargo, siempre se deben usar bajo vigilancia médica y tan sólo por cortos períodos.

¿Qué siente una persona cuando se inyecta heroína?

Según las personas que la usan, la primera sensación es placentera.

Sin embargo, el problema está en que cada vez hay que aumentar más la dosis para poder lograr la sensación de la experiencia inicial.

A medida que se aumenta la dosis, aumenta también el costo y también la tolerancia a la droga. Algunos adictos acuden al crimen y al robo con el fin de conseguir los fondos necesarios para mantener el vicio.

El uso de la marihuana

Si el uso de la marihuana no produce señales externas de ninguna enfermedad, ¿por qué la gente se preocupa por ella?

Existen muchas razones. La persona que usa drogas casi invariablemente procede de un hogar en donde ha habido problemas. Frecuentemente lo hace "a pesar de todo y de todos". Es la forma que esta persona elige para mostrar su rebelión contra la sociedad, sus amigos y sus propios padres.

Muchas encuestas que se han hecho entre estudiantes universitarios confirman esta realidad. El que usa marihuana puede usar también otras drogas. El alcohol y el tabaco son sustancias que suelen usarse en relación con la marihuana. Esta droga despierta en el que la usa el deseo de emplear sustancias químicas más fuertes, y aquí es donde realmente está el peligro.

Por supuesto, una vez que la persona se afirma en el hábito, las probabilidades de rehabilitación disminuyen grandemente. Muchos drogadictos proceden de hogares en que falta unidad familiar, lo que los expone a recibir las drogas de algún amigo en los primeros años de su vida.

Muchas personas, antes de usar marihuana, tenían notable capacidad intelectual y muy buenas calificaciones en sus estudios y por lo general eran de mente amplia y extrovertidas. Pero después de usarla por un tiempo han terminado por fracasar en sus estudios.

¿Qué ocurre cuando se empiezan a usar drogas fuertes?

Inevitablemente, se produce el desastre físico y mental.

En verdad, si la heroína es la droga que se está usando, la catástrofe ocurrirá en muy poco tiempo.

Resultados de la heroína

En una investigación que se hizo recientemente, tan sólo en la ciudad de Nueva York 300 adictos murieron en un año por los efectos de la heroína. Desde entonces sin duda esta suma ha aumentado considerablemente. En Inglaterra hay en la actualidad miles de adictos a la heroína.

El adicto rápidamente pierde interés en las cosas que lo rodean, en sus familiares y amigos, en el trabajo y en su propia apariencia personal. Generalmente gusta de asociarse con personas semejantes a él y que tienen iguales problemas. Su único placer está en el próximo encuentro con la droga. Las infecciones en estas personas son muy frecuentes, porque el adicto no siempre esteriliza los instrumentos que usa para sus inyecciones. A veces se excede en las dosis y esto le causa la muerte.

Los adictos acuden a cualquier recurso para obtener la droga. El crimen, el robo y aun la violencia son cosa común entre los drogadictos.

¿Qué se está haciendo en favor de los adictos?

Hay muchas agencias gubernamentales que están tratando de hacer lo mejor que pueden. Pero el adicto es un individuo que se siente feliz con la clase de vida que lleva. No está interesado en conseguir ayuda debido a que eso no es lo que él desea.

Químicos	Droga	Prescripción médica*	Dependencia física potencial	Dependencia psicológica potencial
NARCOTICOS	**Heroína**	Uso ilegal	Sí	Sí
	Morfina	Para aliviar el dolor	Sí	Sí
	Codeína	Para aliviar dolores, diarrea y tos severa	Sí	Sí
	Paregórico	Para aliviar la tos	Sí	Sí
	Petidina	Para aliviar dolores	Sí	Sí
	Metadona	Para aliviar dolores	Sí	Sí
SEDANTES	**Barbitúricos y tranquilizantes**	Tranquilizantes para dormir, tratar epilepsia y alta presión	Sí	Sí
	Bromuros	Uso limitado para dormir y tranquilizar	Sí	Sí
	Alcohol	Sí, pero limitado	Sí	Sí
	Goma de zapatero	No	Se ignora	Sí
	Nicotina	No	Sí, en alto grado	Sí
ESTIMULANTES	**Anfetaminas**	Sólo por receta médica	No	Sí
	Cocaína	Como anestesia local	No	Sí
	Cafeína	Estimulante suave	No	Sí
	APC (aspirina, fenacetina, cafeína)	Alivia el dolor no intenso y la fiebre	No	Sí
ALUCINOGENOS	**STP (2,5 dimetil -4-etilanfetamina)**	No	No	Sí
	LSD (dietilamida del ácido lisérgico)	Uso psiquiátrico mínimo	No	Sí
	DMT (NN—dimetil-triptamina)	No	No	Sí
	Mescalina	No	No	Sí
	Psilocibina	No	No	Sí
ALUCINOGENO INTOXICANTE	**Marihuana**	No actualmente	No	Sí

*Posiblemente varíe un poco en diferentes países.

Efectos inmediatos	**Efectos retardados**
Los narcóticos reducen la sensibilidad física y psicológica. Resultado: Pérdida de contacto con la realidad. Euforia, reducción del temor, la tensión, la ansiedad, la actividad física. Modorra o sueño. Pupilas reducidas a un mínimo. En algunos, estreñimiento, náuseas y vómitos. Dosis altas pueden causar inconsciencia, coma, y a veces la muerte.	El dejar estos narcóticos causa síntomas que van desde el bostezo, el sudor, los temblores, la falta de apetito y el insomnio, hasta la diarrea severa, el vómito, los dolores musculares y la pérdida de peso. Las jeringas infectadas pueden producir hepatitis, múltiples abscesos y gérmenes infecciosos en la sangre. Las sobredosis son la causa más común de muerte. Los drogadictos necesitan dosis más y más elevadas para lograr sus efectos, lo cual es costoso. Las víctimas inveteradas recurren a menudo al crimen para satisfacer su vicio.
Dosis pequeñas reducen tensiones, ansiedad e inhibiciones. Resultado: Sensación de relajamiento, pesadez o ensimismamiento. Dosis mayores pueden producir habla entrecortada, caminar vacilante, reacciones lentas, emociones erráticas y finalmente sueño.	Dejar la droga puede causar convulsiones fatales, muertes accidentales y suicidios.
	Los bromuros acumulados pueden causar constantes dolores de cabeza, irritabilidad y confusión.
	El abuso puede conducir al *delirium tremens*, al daño irreversible en el cerebro, daño en el corazón y cirrosis del hígado.
Los efectos sobredichos se aplican también a la inhalación de goma de zapatero y aeromodelismo; además ésta produce náuseas e inflamación de ojos, nariz y labios.	La inhalación de la goma mencionada disminuye los glóbulos rojos y los blancos. Pueden aparecer cambios degenerativos en el corazón, el sistema nervioso central y el hígado.
	El fumar inveterado puede producir cáncer pulmonar, bronquitis crónica y otras dolencias respiratorias. El abuso prolongado de la nicotina causa presión alta y enfermedades cardiovasculares.
Aumenta la presión y el ritmo del pulso. Merma la fatiga. Crecen la excitación, la actividad y la autoconfianza. Pupilas dilatadas, temblores, locuacidad, desorientación y alucinaciones. Aumento de orina y sudor. Depresión frecuente intensa a medida que desaparecen los efectos del estimulante.	Se desarrolla un alto grado de tolerancia y aumenta mucho la autodosificación. Pueden sobrevenir problemas psiquiátricos.
Humor óptimo, carencia de apetito, ausencia de fatiga. La aplicación intravenosa puede causar una muy alta sensación agradable. Puede producir también alucinaciones sensoriales: insectos imaginarios caminando bajo la piel, etc.	Las membranas mucosas de la nariz pueden dañarse con la inhalación continua de esta droga. Desórdenes digestivos, demacración, insomnio y alucinaciones sensoriales.
Tolerada casi siempre en poca cantidad. Generalmente aumenta la agudeza y combate la fatiga suave. Puede causar insomnio, pulso acelerado y aumento de la orina.	La cafeína es nociva para los que sufren del corazón.
Las sobredosis de APC pueden causar malestar gástrico.	El abuso continuo de esta droga puede acarrear anemia, daño a los riñones y úlceras estomacales.
Ilusiones y alucinaciones: luces de colores, formas sicodélicas, dibujos geométricos, música, voces, sensación de calor. Puede haber aumento de percepción del color u objetos de colores y una aparente conciencia de los órganos internos y funcionamiento del cuerpo. Despersonalización. Experiencias místicas y religiosas. Crece la sugestibilidad. Intensificación del recuerdo o la memoria. Cambios de conducta abruptos y frecuentes. A veces, pánico de intensa ansiedad. Los efectos físicos incluyen dilatación de las pupilas y transpiración.	Poco se sabe sobre los efectos retardados. Algunos científicos han informado de daños en los cromosomas, pero las evidencias no son aún concluyentes. Pueden precipitar la psicosis, el suicidio, la depresión y las experiencias retrospectivas.
El estímulo inicial culmina en relajamiento acompañado de euforia, locuacidad, risa, sensación de flotamiento, aparente aumento de apreciación estética y de comunicarse con los demás. Pueden presentarse ilusiones y alucinaciones intensas, como la disminución del paso del tiempo. A esta respuesta inicial puede seguir la modorra o el sueño. Efectos físicos: coordinación muscular lenta, torpeza, boca seca, vahídos, ojos enrojecidos, hambre, náuseas y vómitos de vez en cuando; aumento de la orina y algunas veces diarrea.	Se sabe poco en cuanto a los efectos retardados o mediatos de la marihuana. El uso constante puede producir fatiga general, períodos prolongados de sueño y descuido completo. Las últimas investigaciones sugieren que el principio activo de esta droga es alucinógeno, y puede generar efectos dañinos si se la fuma constantemente.

Los que se esfuerzan por combatir el mal encuentran dificultades enormes para poder realizar su tarea. Muchas organizaciones privadas tratan de rehabilitar a los adictos conocidos, pero no pueden realmente resolver el problema, por la gran magnitud del mismo.

La educación es la solución

¿Entonces cuál es la verdadera solución?

Hay una sola solución. Cada adolescente debe ser advertido a tiempo de los peligros que hay en las drogas. No se les debe permitir de ninguna manera que se expongan a ellas. La droga es como un viaje, sin regreso, a la destrucción.

Lea todo lo que pueda conseguir acerca del problema. Discútalo con sus amigos. Prepárese y esté en condición de identificarlo tan pronto lo vea asomar. No se mezcle en este asunto. Si dice que sí la primera vez, eso puede ser el comienzo del camino hacia la ruina física y mental.

En el resumen original que dio acerca de los diferentes tipos de drogas que se pueden conseguir, usted mencionó bajo el tercer encabezamiento las drogas que todo el mundo puede comprar. ¿Podría explicar esto un poco más?

3. Medicamentos y drogas aprobados legalmente que se pueden comprar en las farmacias.

Yo tengo mucho interés en este tema. Para redondear el cuadro de las drogas hay que explicar este punto en forma muy especial.

Las farmacias están repletas de diferentes clases de medicinas. Por supuesto, hay un gran número de ellas que son indispensables. Estas son las que mayormente el médico receta para tratar ciertas enfermedades en particular; y se consiguen solamente presentando la receta. Por supuesto que esta clase de medicina no la vamos a combatir.

Pero hay muchas otras que se pueden conseguir sin receta. Lamentablemente, muchas de ellas se anuncian en los diferentes medios de publicidad. En resumen, el público está recibiendo constantemente un lavado de cerebro en cuanto a las virtudes de estos productos. Hay un gran número de personas que se dejan influir por este tipo de publicidad.

En nuestra sociedad orientada hacia la medicina todo el mundo trata de ver cómo puede conseguir alguna cura para sus problemas. Siendo que muchos de éstos están relacionados con la parte física, piensan que pueden resolverlos con tan sólo tomar una píldora, o una poción, u otra clase de medicamento.

Enorme consumo de píldoras y otros medicamentos

La mayoría de la gente consume vastas cantidades de diversos medicamentos. Un público desprevenido introduce constantemente en su cuerpo una gran cantidad de calmantes, tónicos, reconstituyentes y sedativos.

¿Cuáles son en verdad los más usados?

Se puede decir que es la aspirina en diferentes formas. Tienen mucha aceptación del público las preparaciones a base de aspirina (un calmante del dolor), de fenacetina (otro calmante del dolor y reductor de la temperatura, ya que provoca transpiración, al igual que la aspirina) y de cafeína (algunas veces codeína). La cafeína es un estimulante de los nervios, y la codeína es un calmante del dolor que puede producir sin embargo estreñimiento.

Gran número de personas consumen constantemente cantidades de píldoras que se anuncian por los diferentes medios, no importa si son recetadas por los médicos o no. En millares de familias está muy generalizada la costumbre de que los miembros adultos de la misma tomen regularmente después del desayuno una o dos píldoras de aspirina y otros componentes. Luego siguen tomándolas en diferentes ocasiones durante el día.

¿Hay algún peligro relacionado con esto?

Definitivamente. La aspirina, y demás compuestos, irritan seriamente las paredes interiores del estómago. Muchos casos de úlceras estomacales en las cuales ya se producen hemorragias graves son causadas por el uso de estos compuestos.

El estímulo que produce la cafeína puede afectar el sistema nervioso causando insomnio (esto produce la necesidad de usar sedativos en forma regular), nerviosismo e irritabilidad.

¿No es cierto que también afecta a los riñones?

Precisamente ahora voy a tratar el aspecto más grave de todo esto. La nefropatía analgésica se conoce hoy como una de las más graves enfermedades de los riñones. La misma es causada por el consumo regular de grandes cantidades de estos analgésicos.

Esta enfermedad es causa de graves infecciones del conducto urinario y afecta la salud en general. Si no se la detiene a tiempo, puede causar la muerte.

¿Cómo se trata esta enfermedad?

Muy fácilmente: dejando el uso de dichos analgésicos. En efecto, una vez que el paciente deja de tomar estas drogas, su salud se va restableciendo gradualmente.

Los tónicos

¿Cuál es el valor de los otros medicamentos que se pueden comprar sin receta médica?

En mi opinión tienen muy poco valor. Los tónicos generalmente tienen como ingrediente principal el alcohol, y ésta es la razón por la cual después que la persona los toma se despierta en ella el apetito. Básicamente son de poca utilidad. Las vitaminas que a veces contienen, se pueden conseguir más fácilmente y a menor costo consumiendo los alimentos que usamos cada día.

Los sedativos, los tranquilizantes y muchos otros productos parecidos deben condenarse severamente. Yo creo que muchos de ellos no debieran usarse en absoluto.

Aunque a menudo se niegue dicha realidad, debe reconocerse que hay un gran número de personas que se convierten en "adictos" a estos productos dañinos.

Entonces ¿cuál es la cura para las personas que tienen estos problemas?

Consulte al médico si usted cree que tiene algunos problemas de salud que requieren asistencia médica. Siga su consejo. Tome las medicinas que le recete, pero solamente la cantidad mínima apropiada, durante el menor tiempo posible.

A muchas personas les iría mejor si tan sólo vivieran la vida con un poquito de buen juicio. Entonces no ocurrirían los problemas de salud menores para los cuales procuran estos medicamentos.

Si usted disfruta de una buena cantidad de aire fresco, de tal forma que el organismo reciba el oxígeno necesario mediante la respiración profunda, si recibe la necesaria cantidad de sol, si duerme lo suficiente cada día, si tiene una actitud positiva hacia la vida (especialmente hacia su propia salud), si toma suficiente agua pura y fresca, si escoge bien los alimentos, si se cuida de las comidas que son ricas en almidones, todo esto le ayudará a vivir con buena salud.

Dios nos ha dado estas cosas sencillas y fáciles de obtener para ayudarnos a gozar de una salud vigorosa y duradera.

Entonces, ¿por qué no se las usa más a menudo? No solamente se sentirá mucho mejor y se conservará en mejores condiciones, sino que además, a través de los años se economizará una fortuna en dinero, y por otra parte, dejará muy atrás a las demás personas en su esfuerzo por lograr una mejor salud.

---

1. *Medical Journal of Australia* (18 de diciembre de 1971), p. 1.261.
2. *Ibíd.*
3. *Id.*, 4 de diciembre de 1971.

16

Recomendaciones finales

Y ahora llegamos al final de esta exposición y estudio que hemos sostenido juntos.

Creo que voy a echar de menos nuestras conversaciones. Va a ser como si algo me faltara en la rutina del día.

Pero creo, sin embargo, que puedo seguir leyendo acerca de estos temas en publicaciones tales como Viva Mejor *y algunos libros ¿no es cierto?*

Sí, la revista *Viva Mejor* precisamente es publicada por la misma editorial que difunde este libro. Se publica para beneficio de la juventud tanto como de los adultos. Y a los que deseen obtener más información, les recomiendo el juego de tres tomos titulado *Enciclopedia médica moderna,* del Dr. Marcelo Hammerly, editada por Publicaciones Interamericanas. Es excelente.

Además, si tienen hermanas (o tal vez una novia), que ustedes creen que apreciaría el tipo de información que se da en este libro, quiero informarles que hay otro volumen como éste, dedicado a las señoritas. Se titula: *La joven moderna y el sexo.* Cuesta lo mismo que éste y se puede conseguir fácilmente, pidiendo información a la dirección que aparece en las primeras páginas de este libro.

El libro está escrito desde el punto de vista de una señorita, y creemos que puede ser útil para adquirir una información equilibrada acerca de diversos aspectos de la vida femenina.

Los dos libros se venden separadamente, pero también se pueden adquirir en un juego de dos. Nuestros editores han pensado que estas obras llenan una gran necesidad en la sociedad, por lo que las familias que tienen hijos e hijas jóvenes harían muy bien en conseguir de una vez los dos tomos.

¿A qué edad cree usted que los muchachos deberían empezar a leer estos libros?

Me parece que un muchacho podría obtener beneficio de la lectura de este libro al entrar en la adolescencia, o poco antes.

Cómo trabaja el cuerpo y cómo funciona es algo muy importante. Al mismo tiempo es algo natural. Aun los alumnos de los últimos años de la escuela primaria están relacionados con los fundamentos de la fisiología. Así que sus mentes están muy preparadas y receptivas para entender y asimilar estas cosas.

Al mismo tiempo, hay una serie de conocimientos que es bueno que vayan recibiendo en sus mentes a fin de que los tengan listos para usarlos cuando se enfrenten a situaciones graves en su vida futura.

Aunque estos libros han sido preparados mayormente para estudiantes de la escuela secundaria, sin embargo son muy adecuados también para el joven de menos edad, y yo diría que aun hasta para los jóvenes mayores, y aun para personas de más edad.

Si bien a veces se cree que la gente está suficientemente informada, hay muchísimas personas que todavía viven en la ignorancia en cuanto a muchos aspectos de la vida.

Estoy de acuerdo con eso. Tengo una paciente con cinco hijos. Hace un año vino a mi consultorio y me informó que estaba esperando su sexto hijo.

No se veía disgustada por eso, aunque parecía un poco preocupada acerca de cómo manejaría la situación con un sexto niño.

Con mucho tacto le sugerí que después que tuviese ese niño considerara la posibilidad de utilizar la píldora u otro sistema de programación familiar.

"¿La píldora? —preguntó ella sorprendida—. ¿Y qué es eso?" Esta buena señora nunca en su vida había oído hablar de la píldora.

En esta época de tanta publicidad, cuando los variados aspectos de la vida son ventilados corrientemente, ahí tenía yo frente a mí a una señora normal, saludable, mentalmente alerta, que vivía en una gran ciudad, y que no sabía todavía qué cosa era la píldora.

Esto nos enseña algo. Si esta señora no había oído hablar de la píldora, ¿no habrá muchas otras personas que tampoco la conocen? Puede ser que haya personas que aparentan ser muy entendidas, pero que en el fondo no lo son.

Yo creo que sería muy bueno que los jóvenes y los adolescentes, y aun los adultos, leyeran esta clase de libro que estamos comentando, para que puedan adquirir un conocimiento que les resultará muy útil al afrontar ciertas importantes fases de la vida.

Es algo que puede hacerlos más felices en la vida y evitarles muchos problemas. Estoy seguro de que este conocimiento les producirá mejor salud, mayor vitalidad, un intelecto más claro, una vida más larga y una felicidad mayor.

¿Tiene alguna recomendación final para nuestros lectores?

Les recomiendo que traten de fijar en sus mentes lo más pronto posible estos importantes aspectos de la vida.

Que se esfuercen por vivir una vida buena, sabia, moral y limpia, para que así mejoren sus posibilidades de triunfar.

Además, quiero recomendar que cada uno se fije una meta en su vida, y que trate de alcanzarla proponiéndose otras metas intermedias, y que repase su actuación frecuentemente para ver hasta qué punto las va alcanzando.

Que piensen en el éxito en forma positiva.

Que tomen a Dios como compañero de su vida, y no tengan temor de pedir la ayuda divina, pensando que otros van a burlarse y a reírse si lo hacen. Y que, sobre todo, se mantengan siempre en contacto con Dios.

En esta forma se asegurarán el éxito en la vida. Hay, frente a los jóvenes, posibilidades ilimitadas. Si ponen en práctica los principios recomendados, esas posibilidades se convertirán en realidad para su vida.

Nuestros mejores deseos para cada uno de nuestros lectores.